CW00408818

La chèvre à trois pieds
Et autres nouvelles

Bisame Corvin

La chèvre à trois pieds
Et autres nouvelles

LE LYS BLEU
ÉDITIONS

© Lys Bleu Éditions – Bisame Corvin

ISBN : 979-10-377-7603-7

Déjà paru

Les Tributaires, Éditions Le Lys Bleu, 2021

L'interview

BIP-BIP-BIP. Il est dix-sept heures et nous retrouvons François Legrand et sa chronique littéraire : « le plaisir de lire ».

Le jingle lancé, l'animateur radio annonça avec un sourire très commercial :

— Oui, chers auditeurs, bonjour à tous. Nous recevons aujourd'hui Zita Almássy, une traductrice qui publie son premier ouvrage. Mademoiselle Almássy, bonjour et merci de répondre à nos questions. Conjointement avec un roman que vous venez de traduire et qui vient de paraître, vous publiez chez Grassard un recueil de nouvelles très personnelles « la Hongrie et moi » qui raconte votre « hongritude » si je puis m'exprimer ainsi !

Zita sentait que ses mains étaient moites et elle tremblait à l'idée que son trac allait s'entendre. Au grand dam du technicien, elle saisit le micro des deux mains et se lança :

— Tout d'abord, je voudrais vous remercier de m'avoir invitée, en général ce sont les auteurs connus qui sont reçus et nous autres, les traducteurs, les scribouillards de l'ombre, sommes peu sollicités. Donc merci à Radio Culture ! Il fallait le souligner !

Un peu plus à l'aise, la première phrase passée, elle continua :

— Oui, je suis contente de publier pour une fois mes propres textes, mes souvenirs liés à la Hongrie sous forme de nouvelles, car cela se prête bien à ce genre littéraire.

— Mademoiselle Almássy, nous allons revenir un peu sur votre parcours : vous avez été la traductrice de nombreux écrivains hongrois. Grâce à vous, bien des lecteurs francophones ont découvert la littérature hongroise. Qu'est-ce qui vous a poussé à la traduction ? Et pourquoi la langue hongroise ?

Le journaliste lisait ses fiches toutes préparées et il semblait à Zita qu'il se moquait bien de la réponse qu'elle allait donner. Elle ne se découragea pas :

— En fait, née en France de parents hongrois dissidents qui avaient fui l'occupation soviétique, c'est à eux que je dois l'amour de la Hongrie et de la littérature hongroise. Contrairement à beaucoup de leurs compatriotes 56-ards, ils m'avaient appris la langue et avaient choisi de perpétuer la culture du pays qu'ils laissaient douloureusement derrière eux. Après une courte pause, elle rajouta :

— Avoir baigné dans les deux cultures m'a tout naturellement amenée à faire rencontrer ces deux langues, les confronter l'une à l'autre, les jauger et les malaxer entre elles, pour enfin en tirer la « substantifique moelle » et aboutir à la traduction.

Elle s'évertuait à rester concentrée et à parler lentement car elle avait l'impression que son trac serait perceptible et que les auditeurs finiraient par entendre les battements de son propre cœur. Elle s'interrompit.

François, le nez dans ses fiches, leva brusquement la tête et enchaîna :

— J'aimerais m'attarder un peu sur votre enfance, pouvez-vous nous parler un peu plus de vos parents ? La voix de François avait un grain suave qui ne laissait pas Zita de marbre.

Bien plus à l'aise maintenant, ses mains lâchèrent le enfin le micro, et elle laissait remonter à elle ses souvenirs d'enfance. Elle en aurait presque oublié qu'elle était à une heure de grande écoute et que, pour la promotion de son livre, cette interview était primordiale.

— Avant sa retraite, mon père était historien, chargé de recherches au CNRS, il était turcologue, m'évertuai-je à expliquer lorsqu'enfant, on me demandait la profession de mes parents. Ravie de pouvoir annoncer un métier bien plus original que boulanger ou ouvrier, je m'empressais d'ajouter qu'il écrivait des livres d'histoire sur la période de l'occupation turque en Hongrie.

Le journaliste imperturbable poursuivit :

— Et votre mère ?

— Ma mère tenait un restaurant de spécialités hongroises « le Tisza » et elle en était particulièrement fière ! Vous savez, lorsque mes parents sont arrivés en France, ils n'avaient rien ! Juste ce qu'ils avaient sur le dos. Je crois que ma mère a encore la couverture brune râpeuse que la Croix-Rouge lui avait donnée. Elle nous a souvent raconté les circonstances de son départ : son village « libéré » entre guillemets, par l'armée soviétique, les exactions, les viols collectifs, les exécutions sommaires et la brutale installation du communisme. Elle en a encore les larmes aux yeux quand elle nous raconte la douleur de quitter son pays avec la certitude de ne plus y retourner. Tout laisser derrière soi semble chose aisée au cinéma, mais dans la vraie vie, c'est beaucoup moins romantique !

Dans le camp de réfugiés politiques, elle y a connu mon père. Une fois mariés, ils se sont installés en France. Mon père a continué ses études et ma mère dut accepter de nombreux boulots ingrats comme femme de ménage et plus tard serveuse. Donc pour elle, c'était une fantastique revanche sur la vie d'avoir son propre restaurant ! On y servait la fameuse goulasch, du poulet au paprika, des vins de renommée mondiale comme le Tokaj ou le célèbre Egri Bikavér. Il y avait même un orchestre tzigane qui jouait des airs populaires hongrois et bien entendu leur musique gipsy très à la mode dans les années 80.

Zita était à présent tout à fait à l'aise. Elle parlait avec émotion du pays des Magyars, du lac Balaton, des étonnantes coutumes pascales et de toutes sortes d'anecdotes susceptibles de présenter avantageusement la Hongrie et, bien entendu, son livre.

La cabine son de la radio était capitonnée de l'intérieur de mousses en relief triangulaires chargées de les isoler des bruits externes et de contrôler la réverbération des voix.

La lampe rouge « on air » était allumée et Zita se disait que paradoxalement à cet isolement, des centaines ou peut-être des milliers de gens écoutaient son histoire.

On fit signe au journaliste que c'était la dernière question avant la coupure de pubs. Il fit un clin d'œil au technicien qui poussait les boutons sur un immense pupitre et dit sur une voix toute mielleuse :

— Chers auditeurs et amis littéraires, restez à l'écoute : nous reprenons notre émission après une courte pause publicitaire.

Zita se détendit au bip lui signifiant qu'ils étaient hors antenne. L'animateur s'étira :

— Vous voulez boire quelque chose ? lui demanda-t-il. Zita accepta volontiers un café. Il poursuivit d'une voix tout à fait amicale :

— Dans la deuxième partie de l'émission, nous allons plus parler de votre métier de traductrice et de votre livre ; mais ne vous inquiétez pas : c'était très bien ! Vous vous en sortez à merveille ! D'ailleurs, je voulais vous dire aussi que… Il ne put finir sa phrase car on lui fit signe de la cabine de mixage et l'animateur s'excusa en s'éloignant tout en grommelant quelque chose d'incompréhensible.

Il avait un regard bien plus chaleureux et complice qu'au début. Elle s'imaginait jusqu'alors que tous ces hommes de radio et de TV étaient tellement imbus d'eux-mêmes et qu'ils ne s'intéressent à rien ni à personne, à force de fréquenter tant de stars.

Elle l'avait écouté la semaine précédente quand il recevait Alexandre Jardin, un de ses auteurs préférés. Son « Île des Gauchers » avait été longtemps son livre de chevet et elle était assise là, à la même place que lui ! Elle en était fière et se disait qu'elle faisait à présent, elle aussi, partie de ce monde. Bien entendu, elle ne reniait en rien le fait d'être traductrice, au contraire, elle le revendiquait haut et fort ; mais être passée de l'autre côté, avoir pris un rôle plus créatif dans l'écriture lui donnait des ailes. Un bip stressant la sortit de sa torpeur et une voix dans un haut-parleur la fit sursauter :

— Ça reprend, attention : antenne dans trente secondes !

François empoigna ses fiches et reprit le fil de la discussion là où il l'avait laissé sans aucun problème.

— Nous sommes toujours en compagnie de Zita Almássy, traductrice qui sort un recueil de nouvelles chez Grassard : « la Hongrie et moi ». Quand avez-vous démarré votre carrière de traductrice ? L'animateur la regardait droit dans les yeux cette fois-ci. Il était bel homme et Zita avait l'impression qu'il s'intéressait de plus en plus à ce qu'elle disait.

— Ma double culture et mon bilinguisme me poussèrent tout naturellement à la traduction et d'ailleurs, l'une de mes premières fiertés professionnelles a été de prêter serment devant le tribunal de Grande Instance et d'obtenir ainsi le même statut de traducteur juré que mon père.

Zita soupira comme malgré elle et continua avec nostalgie – et c'est ainsi qu'a débuté une étroite collaboration avec lui. Nous formions à nous deux l'équipe parfaite et faisions fi de la devise des traducteurs « qui traduit trahit ! ». Rien n'aurait pu ébranler ma foi en mon érudit de père. Je peux tout de même m'enorgueillir d'avoir donné à nos traductions une touche plus « frenchy » en étant sûre de n'avoir rien trahi du texte d'origine en hongrois puisque mon père en était le garant.

Sans doute, ce doit être l'un des plus beaux métiers du monde car nul autre ne permet de changer de contexte et de domaine aussi facilement. À fond dans un texte littéraire un jour, le lendemain un texte scientifique, puis juridique et technique, rien ne nous résistait : nous étions vraiment le duo de choc.

Vous savez, deux cultures, deux langues ; les comprendre et les posséder toutes les deux, c'est formidable et, qui plus est, donner ce plaisir aux autres en traduisant les finesses de l'une et de l'autre, allier notre savoir et notre savoir-faire : deux pays, deux cultures, c'est deux continents différents ! et devenir le passeur entre les deux rives ! Rien n'est plus beau ? N'est-ce pas ?

Au fur et à mesure de l'entretien, l'animateur semblait sous le charme de son interlocutrice et il ne quittait plus Zita des yeux :

— Revenons à votre publication : « la Hongrie et moi » pourquoi ce titre ?

— En fait, quand j'arrive en Hongrie, je ne suis ni vraiment tout à fait Hongroise ni exclusivement Française, c'est un peu comme la symbolique du yin et du yang : les deux solidement imbriqués l'un dans l'autre, indissociables, complémentaires mais si différents ! Je n'ai jamais été partagée entre ces deux univers, je me sentais plutôt comme un agent double : Le Danube coulait dans mes veines et la Seine dans mes artères pour reprendre une image du chanteur M.

Lors d'un match de foot France-Hongrie par exemple, tout dépendait du pays où je me trouvais pour décider de quel côté je serais *supporter* et je défendais toujours les couleurs du pays où je ne me trouvais pas. C'est d'une logique implacable : vous ne trouvez pas ?

Française en Hongrie et Hongroise en France : voilà, c'est bien résumé, je crois !

Zita perçut non sans émotion le clin d'œil affectueux de l'animateur.

— Et aujourd'hui ? Vous vous sentez appartenir à quel pays ?

— Je suis européenne ! De deux cultures conjointes qui vivent en harmonie au fond de moi et qui se complètent, je me sens profondément européenne.

— Voulez-vous à présent nous présenter ces nouvelles ?

Zita savait qu'elle avait encore une bonne dizaine de minutes pour dire l'essentiel sur ses nouvelles et donner aux auditeurs l'envie de les lire sans pour autant dévoiler la chute. Exercice véritablement périlleux. Elle s'acquitta de cette tâche avec brio, narrant juste ce qu'il faut pour mettre l'eau à la bouche des lecteurs tout en respectant les consignes de son éditeur, de bien le citer au moins trois fois sans oublier de préciser les points de vente.

Les nouvelles touchaient toutes de près ou de loin à la Hongrie. Et comme l'animateur avait si bien emprunté à Aimé Césaire le mot « négritude » pour en faire « hongritude », Zita joua de ce jeu de mots en le conjuguant de mille manières. Elle y mêlait émotions et une touche subtile de nostalgie, appelait avec tendresse « hongroiseries » les fiertés magyares comme la porcelaine fine de Herend ou de

Zsolnay. La gastronomie hongroise, la Barack Pálinka : inénarrable eau de vie d'abricot, les bains thermaux. Elle avait choisi les cadres et les éléments les plus divers pour planter le décor de ses actions. Comme dans une recette, elle y incorporait au fur et à mesure des éléments typiquement hongrois. Rien n'y manquait : ni le salami ni la plaine de la Puszta. Sans toutefois donner l'air d'un dépliant touristique aux lieux communs éculés, tous ces ingrédients donnaient à ses nouvelles une atmosphère exotique et excitante. Elle y dressait le portrait de ses personnages avec habilité et finesse. Elle espérait capter l'attention des auditeurs qui, contrairement à un spectacle où l'on sent vibrer la salle ou non, est chose difficile à évaluer entre quatre murs. Elle appréhendait à présent les dernières minutes de l'interview : les auditeurs restent souvent sur leur dernière impression, il lui fallait être particulièrement brillante à cet exercice.

— Notre émission arrive doucement à son terme : le mot de la fin ? Une petite anecdote ou une recette hongroise peut-être ? L'animateur avait à présent les yeux qui pétillaient de curiosité gourmande.

Zita raconta alors avec tendresse les soirées d'été de son enfance où, devant un feu de camp, on se mettait à faire rôtir des morceaux de lard blanc de Hongrie qu'on laissait goûter sur de grosses tranches de pain de campagne couvertes de petites rondelles d'oignons verts. Elle en avait encore le parfum dans les narines. Ces soirées étaient pittoresques car toute la famille au grand complet se retrouvait autour du feu, jusqu'à une heure avancée de la nuit. Leur père racontait, par épisodes, de longues histoires de princes, de sorcières et de dragons. Il trouvait toujours le moyen d'achever leur narration pour la fin de l'été. L'on chantait des airs populaires hongrois, jusqu'au petit matin devant le feu mourant, en attendant que les braises deviennent cendre. Que l'on était heureux ! les joues roussies et le dos gelé.

Cette atmosphère chaleureuse racontée avec une émotion non feinte avait fini d'envoûter entièrement l'animateur radio. Une réelle émotion dans la voix, il conclut toutefois son entretien avec son efficacité habituelle, salua ses auditeurs en leur donnant rendez-vous pour la semaine suivante.

La lumière rouge « on air » était enfin éteinte et Zita était fatiguée, cette heure d'interview l'avait épuisée ; elle y avait mis le meilleur d'elle-même, sans fioritures, sans phrases creuses et sa charmante spontanéité avait eu raison du bel animateur. Il vint lui dire au revoir et la remercier et lui tendit sa carte de visite avec son numéro de portable privé griffonné au feutre rouge.

— Appelez-moi « Feri », lui dit-il enfin. Oui, je vous dois un aveu : mon vrai nom c'est Ferenc Nagy, lui dit-il avec un sourire ravageur, mon père était d'origine hongroise : mais pour la radio, j'ai fait franciser mon nom mais vous m'avez donné envie de retourner à mes sources et de revoir le pays de mes aïeuls. Merci beaucoup. Il lui tendit la main maladroitement et lui chuchota visiblement ému :

— Je serais très heureux de vous revoir… un jour ou l'autre.

Zita était stupéfaite et se demanda un instant pourquoi il ne le lui avait pas dit avant.

Ravie de cette confession tardive, elle quitta enchantée les studios de la Maison de la Radio, son cœur battait la chamade.

Elle serra contre elle la carte de visite en se disant :

— En voilà au moins un qui lira mon recueil de nouvelles !

La chèvre à trois pieds

Le critique d'art : Mais ce n'est pas une chèvre ! Elle est creuse,
elle a trois pieds et la tête à l'envers !
— En effet ! Ce n'est pas une chèvre : c'est de la céramique !

Géza Gorka

— Zut, je vais être en retard, dit Clara en regardant la grande
horloge de la Place de la République.

Elle allongea le pas, pressant les gens devant elle sur le trottoir,
bousculant même un jeune garçon qui tenait à peine debout sur ses
rollers.

— Oh excuse-moi ! Désolée, je ne voulais pas...

Sa phrase resta inachevée car au même instant elle vit une forme
connue dans la devanture du magasin d'antiquité devant laquelle le
jeune garçon s'était étalé. Elle fit ce qu'elle put pour aider le
malheureux à se relever sans quitter des yeux l'objet qui l'avait
stoppée net dans sa phrase. Le gamin finit par se redresser et, sans
demander son reste, s'en alla grommelant quelque chose
d'incompréhensible.

Oubliant son rendez-vous et la raison pour laquelle Clara était si
pressée, elle ne put quitter l'objet des yeux. Il s'agissait d'un animal,
une chèvre, en céramique vert clair, qui avait la tête à l'envers et
n'avait que trois pieds.

Cette tête regardait sa propre queue qui se terminait en pointe. Tout
l'intérieur était creux et était recouvert de glaçage anthracite
légèrement brillant. L'extérieur de la céramique était vraiment

17

étonnant. On eut dit que le glaçage de tout l'animal avait été effectué goutte par goutte lui donnant un relief curieux. Le tout avait un aspect de quelque chose d'inachevé car il y avait parfois des débordements sur les côtés, mais en même temps, cet objet était charmant et attirait le regard de quiconque, quel que soit l'endroit où il était entreposé.

Clara resta un laps de temps assez long devant la vitrine de l'antiquaire. Du fond de sa mémoire lui remontaient des souvenirs de sa tendre enfance.

— Maman avait exactement la même !

Sa « chèvre » trôna quelque temps sur une table basse tout en verre, à l'époque où ses parents qui étaient loin d'être riches, construisaient leur maison et n'avaient pas encore trop de meubles et de bibelots. Elle se souvenait maintenant précisément qu'elle et sa sœur, Anne, trouvaient cet objet particulièrement laid. C'est sûr, en comparaison des autres chats et figurines en porcelaine, lisses et « bien finies », cette chèvre avait quelque chose de déroutant. Mais leur mère avait l'air d'y tenir tout particulièrement.

Un jour pourtant en jouant avec la chèvre, ce qui leur était strictement interdit bien sûr, Clara et sa sœur l'avaient fait tomber et la pauvre chèvre s'éparpilla sur le dalflex jaune du salon en une bonne dizaine de morceaux. Jugée irréparable par les deux sœurs, la chèvre finit enterrée sous le vieux cerisier au fond du jardin.

— Elle doit encore y être ! dit à voix haute Clara.

Au même instant, son portable sonna et Clara fouilla fébrilement son sac à main afin de mettre la main dessus.

C'était justement Anne :

— Mais qu'est-ce que tu fais ? Je poireaute devant le cinoche depuis 20 minutes, on va rater le début, grouille-toi ! hurlait la voix du téléphone.

Clara dut écarter son portable de l'oreille pour ménager ses tympans et lui répondit en chuchotant presque :

— Tu ne vas pas me croire : figure-toi… Non, viens toi, vaut mieux que je te montre ! Je suis devant le grand antiquaire, boulevard

18

de la Victoire. Tant pis pour le ciné ! On ira une autre fois, viens vite ! Clara souriait d'aise en remettant son téléphone dans son sac.

— Pauvre Maman, elle n'a jamais su ce qu'était devenue sa chèvre, pensa-t-elle. Et ce n'était pas faute de les avoir questionnées elle et Anne. Cependant, elles étaient restées solidairement muettes à ce sujet. Rien n'y fit, ni privation de dessert, ni interdiction de baignade au début, ni les pires menaces au bout d'une semaine, les jumelles ne cédèrent pas. Malgré les sempiternelles lamentations de leur mère, « ah ! Ma chèvre » le mystère resta complet. Rien dans les poubelles, rien dans les caches habituelles, au fur et à mesure, tout le monde sembla oublier la pauvre chèvre à trois pieds et en dix morceaux, enfouie dans la terre sous le cerisier.

Clara se décida à entrer dans le magasin sans attendre sa sœur. Le « gling-glong » de la porte retentit et de l'arrière-boutique apparut un monsieur relativement âgé, mais ses yeux étaient brillants et malicieux comme s'il n'eût que seize ans.

— Bonjour madame ! Puis-je vous aider ? Cette phrase banalement commerciale déçut Clara qui s'attendait à quelque chose de plus solennel en cet instant.

— Oui, bonjour, Monsieur, je voudrais voir de plus près cette chèvre en céramique dans votre devanture.

— Ah oui, je vois, fit-il, c'est une pièce rare, un céramiste hongrois, je crois, des années cinquante.

— Mais bien sûr ! pensa Clara, c'est bien Tante Sidonie qui l'avait offert à Maman ! de son retour de Hongrie.

Tous les souvenirs se remettaient en place et se corroboraient les uns les autres.

L'antiquaire plongea dans la devanture du magasin et malgré son âge, il se saisit de l'objet tant convoité en se contorsionnant avec une telle souplesse que cela étonna Clara.

Elle tenait à présent dans ses mains la chèvre à trois pieds et un sentiment de soulagement mêlé à une joie intense lui fit monter la larme à l'œil. Au même instant le « gling-glong » de la porte d'entrée retentit une nouvelle fois et Clara vit se précipiter sa sœur, Anne, qui avait le regard noir de reproches, le doigt déjà en l'air et la bouche entrouverte prête à lui exprimer le fond de sa pensée.

— Regarde ! fit Clara en soulevant la chèvre à hauteur de ses yeux avant même qu'elle ne puisse formuler la moindre phrase. Le visage de sa sœur s'éclaira tout d'un coup et se métamorphosait lentement et Clara avait l'impression de voir les mêmes souvenirs défiler lentement dans le regard d'Anne. Elle savoura avec délices l'effet de surprise qu'elle lisait dans ses yeux.

— Ça alors ! fit Anne, c'est incroyable !

Elles se regardèrent une seconde et, d'un air entendu, Clara sortit son carnet de chèques et demanda au vieil antiquaire de manière peu polie :

— Combien ?

Peu lui importait le prix, elle n'avait pas envie de négocier, il lui fallait cet objet à tout prix : elle imaginait déjà le visage de leur mère et sa joie de retrouver « sa chèvre ».

— 280 euros ! répondit-il tout en commençant à emballer le précieux animal dans du papier de soie.

— Dis donc, ce n'est pas donné ! chuchota Anne en prenant le bras de sa sœur en train de libeller le chèque.

— On partage ! répondit Clara. Oui mais pense à Maman ! Qu'est-ce qu'elle sera contente ! Anne sortit sa carte bleue et dit à l'antiquaire : vous prenez les cartes ? Mettez 140 euros s'il vous plaît, poursuivit-elle en voyant le vieil homme acquiescer de la tête.

Le dimanche qui suivit, Anne et Clara, qui rendaient visite à leur maman chaque week-end à la maison de retraite « Les Muguets », s'étaient habillées de circonstance en ce jour où elles allaient, 30 ans plus tard, restituer avec cérémonie la précieuse chèvre à leur chère maman.

Ilona, leur mère, les vit arriver enjouées et espiègles à leur habitude et Clara tenait à la main un gros paquet entouré de papier cadeau.

— Mais ce n'est pas mon anniversaire ! s'excusait la maman tout en embrassant ses filles à tour de bras.

— Non, mais ouvre tout de même ! dit Anne, je pense que ça va te plaire !

Le paquet sur la table de jardin, Ilona ouvrait le papier prenant garde de ne pas le déchirer comme à sa bonne habitude.

Elle arrêta son geste, soudain recluse dans un passé lointain, comme si elle semblait déjà deviner ce que contenait le papier de soie.

— Ouvre donc ! on ne gardera pas le papier cadeau de toute façon ! s'impatientait Clara.

En déballant avec précaution la céramique, Ilona poussa un long « ce n'est pas possible ! » dans un souffle. Loin d'avoir l'air heureuse, elle chancela sur ses jambes et dut s'asseoir. Sous le regard stupéfait des jumelles qui s'attendaient à plus d'enthousiasme, Ilona demanda avec un tremblement dans sa voix :

— Mon Dieu ! Où l'avez-vous retrouvée ? C'est bien elle ?

Clara raconta alors timidement toute l'histoire jusqu'à la confession finale de l'enterrement dans le secret le plus absolu de la pauvre chèvre sous le cerisier.

— Mais alors, ce n'est pas « ma » chèvre ? dit tristement leur mère.

Les deux sœurs, bien désappointées de la peine lisible dans les yeux de leur mère, lui demandèrent en chœur :

— Tu n'es pas contente de la retrouver ?

— Vous savez, leur dit-elle, ma chèvre en elle-même n'était pas importante. C'est ce qu'elle contenait, qui l'était.

Les deux sœurs furent surprises par cet aveu inattendu et étaient impatientes que leur mère finisse ou commence plutôt, son récit afin de comprendre enfin son regard triste et déçu.

— Vous vous souvenez de tante Sidonie ? Oh certainement pas ! Vous étiez trop petites !

Les deux filles se souvenaient pourtant parfaitement de cette dame qu'elles n'avaient vue que peu de fois.

— Eh bien, ce n'était pas une tante ou un quelconque membre de la famille, c'était quelqu'un que l'on avait payé votre père et moi pour sortir la chèvre du pays.

Les deux filles étaient stupéfaites et restaient muettes en écoutant la narration de leur mère. Ilona raconta alors longuement sa fuite de la Hongrie en 1956 occupée par l'armée russe, le long voyage à pied jusqu'à la frontière et le rideau de fer, le passage de nuit sous les barbelés, les projecteurs et les sirènes. Elle leur raconta la peur au ventre de se faire prendre, la faim et les privations, le manque de sommeil qui la torturaient. Et puis une fois en Autriche, le voyage cahotant en camion de la Croix-Rouge et puis son arrivée en Belgique, son accueil par l'antenne de la Croix-Rouge belge et sa rencontre avec István, leur père, à Louvain au foyer d'étudiants réfugiés politiques hongrois.

Peu de temps avant, sa famille avait vendu tous ses biens car de toute façon, ce serait confisqué par les « rouges » et Rozália, la grand-mère, avait acheté un gros diamant d'au moins deux carats, payé en pièces d'or, introuvables à l'époque, mais qu'elle avait précieusement accumulés durant toute sa vie. Puis elle était allée chez un céramiste ami de la famille.

— Gorka, il s'appelait Gorka, Géza Gorka, se souvenait-elle dans un soupir.

La grand-mère Rozália avait fait faire une chèvre en céramique qui devait ressembler à un cendrier, ou un objet de peu de valeur et dans sa tête, elle avait fait placer le gros diamant. Elle était restée à Budapest, prétextant son grand âge pour ne pas entreprendre l'exode vers l'Occident.

Quelques années plus tard, alors qu'Ilona et István avaient entrepris de construire leur maison, au prix de maints sacrifices, Rozália leur fit parvenir la chèvre par Sidonie, une passeuse professionnelle qui s'était de fait présentée comme leur tante ramenant de Hongrie un petit cadeau.

22

— On avait toujours suspecté l'ouvrier électricien de l'avoir volée, car il n'avait pas fini son travail et n'était jamais revenu se faire payer. Mais je sentais bien que vous étiez mêlées à cette histoire car votre comportement était bizarre dès qu'on abordait la question de cette chèvre, dit Ilona en regardant tristement ses deux filles qui écoutaient, estomaquées, le fin mot de l'histoire.

— Y'a qu'à aller la déterrer ! dit Anne avec un regard plein de malice.

— Bonne idée, renchérit Clara, faut juste retourner à la maison et fouiller sous le cerisier. Je pense que les nouveaux propriétaires n'auront rien contre !

— Surtout si on leur donne un pourcentage ! s'extasia Anne.

Il faisait déjà nuit et Ilona se leva pour dire au revoir aux deux filles qui n'avaient qu'une hâte, retourner dans la maison de leur enfance et fouiller de fond en comble le carré de terre sous le cerisier.

— Dommage que vous n'ayez rien dit jusqu'à aujourd'hui ! constata amèrement Ilona les larmes aux yeux. Avec votre père, on avait décidé de ne plus jamais en reparler, poursuivit-elle, car chaque évocation me faisait pleurer et me lamenter jusqu'au matin. Mais finalement, nous nous consolions d'être en vie, d'avoir de beaux enfants et nous nous forcions à penser que c'était là l'essentiel.

Le lendemain, Anne et Clara se rendirent au petit village de Plobsheim, au sud de Strasbourg pour revoir leur maison et de négocier avec le nouveau propriétaire. Elles n'y étaient pas retournées depuis la vente de la maison quinze ans auparavant. Elles trouvèrent assez rapidement le village mais tout avait changé. La « grand'route » n'était plus bordée de peupliers, la gravière sauvage d'Eschau où elles allaient se baigner dans leur jeunesse, était maintenant partie intégrante d'un grand complexe industriel d'extraction de graviers. Elles ne retrouvèrent pas le verger rempli de pommiers et la grande ferme qui faisait le coin de leur rue des Coquelicots. À leur place, il y avait maintenant un super U et une station-service.

Au dernier moment, Anne donna un coup de volant à droite ayant tout de même reconnu la rue.

— C'est là !

Le cœur de Clara battait la chamade et Anne avait l'impression que sa tête allait exploser. La voiture s'engouffrait lentement dans une ruelle étroite qui zigzaguait entre des pavillons de banlieue modernes. Elles ne reconnaissaient rien. Mais arrivées à mi-chemin dans la rue, elles cherchaient des yeux la vieille maison de leur jeunesse.

— Ça devrait être là ! Pourtant ! dit Clara complètement perdue.

« Là » se dressait un immeuble de trois étages en construction avec des balcons encore en béton frais. C'était le premier d'un lotissement de plusieurs immeubles. Le béton avait envahi le jardin et de petits monticules de gravats bordaient le passage qui longeait les immeubles et Clara crut reconnaître des morceaux de briques rouge orangé de la maison de ses parents.

Il ne restait rien de la maison, rien du jardin, rien du cerisier, et plus rien de la chèvre à trois pieds.

***

Ah ? C'est moi le mort ?

Une femme : Demain, j'appellerai un dentiste.
L'homme : Appelez-en trois, qu'on fasse un bridge !

Groucho Marx

Le mort se leva et proposa une bière à sa partenaire.

Un silence de plomb retomba sur la table de bridge. Les joueurs se concentraient sur la marche du jeu. Tout d'un coup, un cri strident déchira l'air et fit trembler les cannettes de bière que Géraldine ramenait de la cuisine :

— Ah non ! Ça ne va pas recommencer ! dit Madame Jouve les yeux exorbités d'horreur.

— Elle a une coupe sèche à trèfle, traduisit timidement Justin, son partenaire.

Léa se léchant les babines, tel un chat qui vient d'avaler une souris, ramassa son pli sans jeter un seul coup d'œil aux joueurs. En effet, c'était la seconde fois qu'elle coupait, d'entrée, l'entame de son adversaire. Toujours sans lever les yeux de son jeu, elle annonça à la cantonade :

— En principe, on ne parle pas pendant une partie. Vous seriez exclue de n'importe quel club de Bridge, Madame Jouve ! renchérit-elle sur un ton presque chantant.

Dans le silence qui enveloppa à nouveau la table, Léa posa son Roi de cœur bien ostensiblement sous le mort avec un sourire de défi. Justin, bien mal à l'aise quand il jouait avec Madame Jouve, osa mettre l'As de cœur en deuxième tout en sachant qu'ainsi il affranchirait la dame et le valet du mort.

« Ce qui est aux chiens est aux chiens », dit-il comme pour s'excuser de son geste en essayant d'éviter de voir sa partenaire qui le fusillait du regard. Il ramassa son pli et tremblait à l'idée de jouer puisqu'il venait de prendre cette dernière levée.

Il n'aimait pas cette Madame Jouve qui l'humiliait à chaque fois qu'il était son partenaire. Lui, le petit débutant, jouant avec une experte, se demandait mais pourquoi il avait toujours cette malchance au tirage au sort et pourquoi (ou comment) Léa se débrouillait-elle pour jouer avec la belle Géraldine.

Ne se souvenant plus s'il était maître ou non, il essaya de contenir le tremblement de sa main lorsqu'il posa délicatement le Roi de carreau sur la table.

— Mais enfin, quelle mouche vous pique ? Vous perdez la tête, mon petit Justin ! s'écria Madame Jouve.

— Ah ! l'As n'est pas sorti ? répondit-il avec un air tellement naïf que Léa ne put étouffer un petit rire.

— Peu importe, c'est joué ! dit-elle en assommant ce pauvre Roi avec l'As.

— À vous de fournir Madame Jouve, ajouta-t-elle, savourant sa victoire facile sur ce pli somme toute donné en cadeau par le pauvre Justin.

Madame Jouve grommela quelque chose d'incompréhensible en défaussant un petit deux de carreau.

Entre-temps, Géraldine, qui n'avait rien perdu du jeu, se rassit non sans faire un effet de jambe à l'attention de Justin qui, du coup, en perdit complètement ses moyens. Il osa lui adresser un début de sourire, timidement, prenant pour une avance ce qui n'était au fond qu'une manière de le désarçonner encore plus dans sa concentration.

Qu'elle est belle ! pensa Justin, cette robe rouge lui va si bien ! Mais serait-ce possible qu'elle s'intéresse à moi qui n'ai que trois poils au menton, des lunettes et ce reste d'acné juvénile malgré mes

21 ans ? En plus, je suis si maigre ! Allez, dès la semaine prochaine, je me mets au sport !

— Vous dormez, Justin ? Tel le grondement du tonnerre, la voix lourde de reproches de Madame Jouve le stoppa net dans ses rêveries.

Reprenant ses esprits, sous le sourire ravi et amusé de la belle Géraldine, Justin constata qu'effectivement tous les yeux étaient braqués sur lui et attendaient impatiemment qu'il se décide enfin à jouer une carte.

— Où en étais-je bon sang ? se demandait-il. Qu'est-ce qui vient de sortir ? Faut que je me concentre, madame Jouve va encore hurler et je vais passer pour un con aux yeux de Géraldine. Tous les atouts sont dehors, alors mon valet devrait faire le pli.

Les pensées se bousculaient dans son cerveau et cette fois, d'un geste presque sûr de lui, Justin posa son valet sur les petites cartes. Déjà, il s'attendait aux foudres de madame Jouve quand le silence confirma que son idée était la bonne.

— Ah ouf, la vielle peau n'a rien dit, allons-y gaiement, mon dix doit être maître aussi.

Le jeu en était presque charmant, les cartes tombaient, rien à redire du côté de madame Jouve, les deux filles jouaient d'un air nonchalant.

— Tout est pour le mieux dans le meilleur des mondes, pensa Justin.

— Juste fait ! annonça Léa, toute fière d'avoir réussi sa partie, ça nous fait cent vingt points !

Géraldine feignit un bâillement et lut dans les yeux de Justin qu'il paniquait à l'idée de devoir la quitter et elle se réjouit de son effet.

— Encore une partie ? Nous avons gelé vos trois trèfles et nous sommes « vulnérables ». Mais si vous voulez poursuivre cette partie demain, c'est comme vous voulez ! ajouta-t-elle comme pour le rassurer.

En bonne maîtresse de maison, Géraldine laissait le choix à ses hôtes de rester ou non, selon leur bon gré.

— C'est pratique entre voisins ! On n'a pas bien loin à aller pour se voir et jouer une partie ! dit Léa.

— Une pause sandwichs ? Et on reprend après ! proposa-t-elle.

— Si vous le permettez, je finirais bien cette partie avant ! dit Madame Jouve comme si elle venait de prononcer un verdict aux Assises.

— Je ferai comme tout le monde, dit Justin qui n'était pas sûr que son opinion intéressât qui que ce soit au fond.

Léa se disait qu'elle avait un reste de poulet froid au frigo, de la mayonnaise, une salade verte et suffisamment de tomates et que ce serait parfait pour un en-cas.

— Je crois même que j'ai des chips et du pain de mie pour quelques toasts, murmura-t-elle.

Elle n'aimait pas particulièrement le bridge mais jouait pour faire plaisir à sa voisine d'en dessous, Géraldine, qui, de tempérament malicieux, en raffolait.

Léa ramassait son jeu lentement. Mais quel imbécile ce Justin ! se disait-elle en rangeant ses cartes. Il mord complètement au jeu de Géraldine qui le fait marcher, même courir ! Il ne s'est pas regardé dans une glace ! Quoique derrière ses grosses lunettes, il a de beaux yeux candides. Et puis, je ne comprends pas l'attitude de Didine, qu'est-ce qui lui prend de s'en prendre à ce benêt ?

— Bon, il faut que je termine de compter les points, se reprit-elle. Quatre plus trois, un pour le valet et je rajoute deux points pour la chicane. Mouais, ça n'fait pas bien lourd. J'espère que Tim ne rentrera pas trop tard du ciné, je commence à avoir faim !

— C'est à qui de parler ? demanda-t-elle.

— Mais à vous mademoiselle ! On attend ! répondit Madame Jouve.

Léa ressentit ces deux derniers mots comme le couperet qui suivit le verdict de tout à l'heure.

— Oh ! Excusez-moi ! Je dis : un pique !

Le temps des enchères, les quatre joueurs se concentrèrent sur leurs annonces et le silence n'était entrecoupé sporadiquement que par des

« deux carreaux », « passe », « deux cœurs », « passe », « quatre cœurs ».

Léa se disait que si Timothy rentrait assez tôt, elle pourrait même préparer les sandwichs tranquillement chez elle car il pourrait faire les enchères à sa place et elle en profiterait pour téléphoner à sa maman. Pourvu qu'il la laisse jouer après, mais c'est vrai que lorsque Timothy s'asseyait à la table, il faisait une ou deux parties et il fallait qu'elle attende qu'il soit le mort pour reprendre sa place.

— Personne ne contre ? Parfait ! Bien, nous jouons 4 cœurs.

Madame Jouve étala les cartes de Justin sur la table au vu de tous les joueurs. Justin avait l'air ravi et soulagé d'être le mort et de ne pas avoir à jouer cette partie. Il plongea ses yeux d'amoureux transi dans ceux de Géraldine qui le regarda aussi passivement que si elle avait regardé l'horloge du mur d'en face. Ce petit jeu plaisait bien à Géraldine qui aimait mesurer l'effet qu'elle exerçait sur les hommes.

Léa entama à cœur et Madame Jouve ne put retenir une remarque qui tenait plus du reproche que de la simple constatation.

— Vous jouez de l'atout ? dit-elle.

Elle n'eut pour toute réponse qu'un sourire narquois de son adversaire.

Léa se demandait pourquoi répondre à cette madame Jouve qu'elle ne supportait que parce qu'elle savait bien manier ce noble art qu'est le bridge. D'ailleurs, Géraldine ne l'invitait que pour cette unique raison. Le mauvais caractère de Madame Jouve n'était un secret pour personne, mais tous lui pardonnaient et restaient souvent muets d'admiration devant ses brillantes stratégies de jeu.

— Quels amateurs ! pensa Madame Jouve. Enfin, c'est mieux que rien. Mais pourquoi a-t-il fallu que je me fâche avec le Club de la rue Aristide Briand ? Ils jouaient la cinquième majeure là-bas au moins, pas cette forme préhistorique d'Albarran. Et puis cet idiot de Justin ! Mais pourquoi joue-t-il au bridge ? Il n'y connaît rien, en plus il fait exprès de jouer avec moi. Ah vraiment ! Je n'ai pas de chance avec cet abruti. Je suis sûre qu'il ne vient que pour les beaux yeux de la

Géraldine, d'ailleurs. Bien, concentrons-nous. Si cette idiote tire déjà les atouts, c'est qu'elle doit avoir une longue à jouer, probablement du trèfle. Va falloir jouer serré. J'ai intérêt à faire l'impasse à la Dame à l'Ouest.

La partie se passa sans problème. En joueuse experte, Madame Jouve tirait les cartes soit du mort, soit de la main, ramassait ses plis sans un mot avec une dextérité et une maîtrise de vraie professionnelle. Géraldine n'avait pas un beau jeu et elle mettait tous ses espoirs en Léa pour faire chuter madame Jouve. Léa avait le ventre qui gargouille et peinait à se concentrer sur le jeu. Justin rêvassait comme à son habitude. Bien entendu, Madame Jouve réussit son contrat avec une levée de mieux.

La musique à fond au deuxième étage sortit tout ce beau monde de sa torpeur.

— Ah ! Tim est rentré : je vais pouvoir faire de quoi manger ! dit à voix haute Léa que le jeu commençait à ennuyer.

— Mais quelle heure est-il, grands Dieux ? demanda Madame Jouve totalement immergée dans sa partie.

— Il n'est que dix heures et demie, on peut faire la revanche, si vous voulez, répondit Géraldine avec un œil scrutateur vers Justin. Justin hocha la tête avec un grand sourire. Géraldine se disait qu'elle avait bien fait d'inviter ce petit Justin.

— Mais c'est vrai qu'il est amoureux de moi, pensa-t-elle, Léa avait raison. Bon, restons concentrés. Pourvu que Tim vienne prendre la place de Léa et on va bien s'amuser. J'aime bien Léa mais Tim joue tellement mieux !

Géraldine était vraiment belle. Ses longs cheveux tombaient en bataille sur ses épaules nues et mettaient en valeur son joli visage.

— Tu vas faire le dîner Léa ? demanda-t-elle. Tu nous envoies Tim en attendant ? Si ça ne vous dérange pas Madame Jouve !

— Pas le moins du monde, ce jeune homme joue très bien ! acquiesça Madame Jouve.

— Et vous Justin ?

— Non, non, pas de problème ! Vous voulez changer de partenaire Madame Jouve ? lui demanda-t-il dans le secret espoir de pouvoir jouer avec Géraldine.

— Oh vous savez, il ne reste qu'un rob dans cette partie, nous menons, alors autant terminer cette partie ainsi, rétorqua Madame Jouve sûre d'avoir crucifié sur place ce pauvre Justin.

— Je vais lui en faire baver à ce blanc-bec, pensa-t-elle presque à voix haute. Il veut jouer au joli cœur avec l'autre brunette et lui faire ses yeux doux. Non mais attends mon petit, c'n'est pas comme tu veux ! Non mais, sortir tout de go un Roi ! Quel abruti !

Son chignon frémissait de plaisir à voir le jeune homme décontenancé par sa remarque. Justin tituba une seconde sous cette sentence et ses yeux se voilèrent presque de larmes. Il sut se contenir cependant et tenta une réponse polie.

— Comme vous voudrez madame Jouve, dit-il, résigné, comme dans un souffle. Mais qu'est-ce qu'elle veut cette vieille peau ? se demanda-t-il, alors qu'il savait bien qu'elle le méprisait. Pourquoi ne veut-elle pas jouer avec ce Timothy qui joue bien mieux que moi ? J'avais enfin l'opportunité de jouer avec « Elle ».

De petites gouttelettes de sueur perlaient à son front, ses joues étaient pâles et ses mains réprimaient un léger tremblement. Il alla s'asseoir à sa place avant les autres sans prononcer un mot, sans même jeter un œil à sa Belle, de peur de ne lire que de l'indifférence dans ses yeux.

Au même instant, le copain de Léa fit son entrée tonitruante dans l'assemblée :

— Salut Bisame ! Bonsoir tout le monde !

— Ah bonsoir Monsieur Timothy ! dit Madame Jouve, quel plaisir de vous revoir !

Le timbre de sa voix en était presque agréable.

— Bonsoir Madame ! Comment allez-vous ? Et votre chat s'est remis de sa patte cassée ? Et en faisant la bise à Géraldine, il lui chuchota à l'oreille :

— Salut Didine ! tu vas bien ?

— Salut, Tim, tu viens faire un tour d'honneur ? On a plus trop le temps pour une nouvelle partie.

— Quatre donnes ! ça me va ! Ah, tu es là Justin ? Excuse-moi, je ne t'avais pas vu ! T'as cassé ton vélo j'ai vu ? Comment t'es arrivé à faire ça ?

Comment expliquer à cet imbécile bodybuildé qu'un bus a roulé dessus sans même s'arrêter.

— Chuis tombé sur une plaque de verglas lança-t-il au hasard.

— Du verglas en mai ? s'exclama Timothy.

Le rire général qui éclata laissa pantois Justin qui guetta immédiatement la réaction de Géraldine. Quand il vit qu'elle riait aussi de bon cœur, il sentit son âme s'envoler, son corps s'affaisser de honte et il plongea son regard sur la table vide et commença à distribuer.

Madame Jouve n'en finissait pas de rire de sa voix aiguë, et Justin se dit qu'elle « gloussait vraiment comme une grosse dinde ». Il aurait préféré être à mille kilomètres de là, mais il lui fallait finir la soirée dignement sans montrer son désarroi. Il soupçonnait Tim d'être l'amant de sa *Belle* sans pouvoir pour autant l'affirmer. Mais depuis qu'il était arrivé dans la pièce, Géraldine n'avait plus regardé Justin comme s'il était métamorphosé en chaise ou en bibelot.

— Tim, tu m'aides à mettre la table ? demanda-t-elle avec une voix on ne peut plus suave.

— Bien sûr, chère voisine !

Madame Jouve ne perdait pas une miette de la scène et faisait mine de compter les points sur la feuille devant elle.

La petite assemblée se tut pour mieux se concentrer sur la première donne du tour d'honneur. Les enchères étaient enjouées car Timothy, Géraldine et même Madame Jouve avaient chacun une main bien fournie et les annonces se succédaient dans une frénésie extraordinaire.

— Deux trèfles ! lança fièrement Géraldine, ouverture en force ! Timothy la regarda, les sourcils levés, et pensa :

— Wouah une belle partie s'annonce !

— Trois carreaux ! surenchérit-il.

Deux carreaux auraient suffi pour une enchère normale mais il répondait également en doublant l'enchère pour signifier qu'il avait une main d'au moins 14 points.

— Quatre sans atout ! dit Géraldine.

— C'est une demande d'As ? s'enquérait Justin.

— Bien entendu ! siffla Madame Jouve presque dans un soupir !

— Cinq carreaux, s'enhardit Tim, un As !

— Cinq sans atouts ! s'enthousiasma Géraldine.

— Alors ça, c'est la demande de rois marmonna Timothy... Voyons... et ben six carreaux alors !

— Contre ! hurla Madame Jouve.

— Surcontre ! explosa Timothy. Petit schelem surcontré ! en voilà une belle partie !

— Formidable ! Mais si nous attendions Léa avec ce jeu ? Elle va redescendre sous peu avec le plateau-repas, dit Géraldine. Je suis sûre qu'elle va adorer voir ça.

Personne ne dit plus un mot. Le jeu magnifique était resté comme suspendu. Géraldine, qui avait déjà disposé les cartes du mort sur la table, invita ses amis à passer à table. Madame Jouve se leva péniblement de sa chaise, le dos fourbu, mais ravie d'avoir une si jolie partie en perspective.

— Dites-moi, cher ami, lança-t-elle à l'adresse de Timothy, vous jouez au bridge dans quel club déjà ? Vous jouez si bien ! Je réserverais bien une soirée pour être votre partenaire. C'est si difficile, que dis-je ? C'est quasiment impossible de trouver de bons partenaires ces temps-ci !

Tout cela fut dit sans un regard à Justin mais il prit cela pour une offense qui lui avait été directement adressée et il en fut rouge de haine et de colère.

— Dites donc, Madame Machin, si ça ne vous plaît pas de jouer avec moi, allez donc voir dehors si j'y suis ! dit-il d'une voix étrangement calme et posée, dissimulant à peine sa colère contenue.

Ce ton et ces mots ressemblaient si peu à notre Justin timide et réservé que tous les regards stupéfaits s'arrêtèrent sur le jeune homme raide comme un bout de bois.

Madame Jouve, les lèvres tremblantes, balbutia :

— Mais... mais, de quel droit ? Comment osez-vous me parler ainsi ? Pour qui vous prenez-vous jeune homme ? Je pourrais être votre mère ! Excusez-vous tout de suite sinon je quitte cette table ! Je ne vous permets pas ce ton avec moi, mon petit !

Ce dernier mot fut dit avec tout le mépris que le mot « petit » peut suggérer.

Géraldine s'émut de voir Justin s'emporter de la sorte et voulant prier Timothy de calmer l'assemblée, elle lui saisit le bras et, avant même qu'elle ne puisse lui dire un seul mot, Justin qui crut voir là, dans ce geste, la confirmation de ses soupçons, se saisit du couteau à steak sur la table dressée.

— Alors c'est bien vrai ! Vous êtes sa maîtresse ! Vous ! La meilleure amie de Léa ! s'écria-t-il la voix pleine de larmes et de colère.

Il s'en suivit un flot de paroles entrecoupées de sanglots. Justin débitait toute sa rancœur, le cou tendu, les yeux exorbités, il gesticulait avec le couteau et tous l'écoutaient bouche bée.

— Vous, que j'aime depuis si longtemps, vous qui ne daignez me donner l'obole d'un sourire que si rarement ! et bien sachez combien je dé-tes-te le bridge ! dit-il en détachant chaque syllabe. Je ne joue que pour être un peu avec vous. Je ferais n'importe quoi pour être près de vous. Je guette le moindre de vos pas, le moindre de vos gestes. J'écoute quand vous fredonnez le matin, quand vous rentrez le soir et que vous passez devant ma porte. Je croyais, moi petit vermisseau, que je pourrais vous aimer pour toute une vie, et vous ! Vous vous donnez à cet être vulgaire et suffisant ! lâcha-t-il en désignant avec mépris Timothy de son menton tremblant.

Ébahie et ébranlée tant par cet aveu que par ces soupçons infondés, Géraldine ne sut que dire un instant et n'eut pas le temps de répondre car la voix de Madame Jouve couvrit la stupéfaction générale.

— En effet ! Un vermisseau ! Voilà ce que vous êtes ! Mais il n'empêche, j'attends toujours vos excuses !

Un éclair de haine traversa le regard de Justin si doux habituellement, sa main serra encore plus fort le couteau et d'un seul coup, il le planta dans la gorge de madame Jouve qui s'écroula dans un râle incompréhensible. Son lourd corps s'affaissa sur la moquette dans un bruit sourd de tissu qu'on froisse.

Géraldine, Timothy et Justin se tenaient debout devant le corps sans vie de Madame Jouve et ne purent un instant prononcer une parole. Justin, les mains tremblantes, gardait la tête baissée sans vraiment réaliser son geste. Les regards des jeunes gens se croisèrent et après un court instant qui parut une éternité, Géraldine décrocha fébrilement le téléphone pour appeler les secours.

— Dire qu'on ne sait même pas son prénom ! chuchota Géraldine les yeux embués de larmes. La sirène de l'ambulance commençait à se faire entendre au loin.

À cet instant précis, Léa poussa la porte du pied et engouffrait un large plateau rempli de toasts appétissants. De là où elle se tenait, elle ne voyait pas le cadavre de Madame Jouve et ne prit guère attention à ses amis livides qui étaient comme assommés par ce qu'ils venaient de vivre.

Léa jeta un œil à la table de bridge, contempla le beau jeu étalé et s'écria :

— Ah ! c'est moi le mort ?

***

Une goulasch pour deux

D'une main tremblante, la vieille dame rassemblait les pièces dans son petit porte-monnaie de cuir noir tout élimé.

La caissière ruminait son chewing-gum et s'impatientait la paume tendue vers le haut, l'autre main pianotant de ses ongles vernis sur le couvercle métallique de sa caisse. Les clients, derrière elle, commençaient aussi à grogner, faisant fi de l'âge avancé de celle qui retardait toute la queue. Péniblement, en grattant ses derniers petits forints du fond de son cabas, elle arriva enfin à s'acquitter de la somme à payer. Elle prit maladroitement mais non sans appétit, son plateau repas des deux mains et à tout petits pas traînants, son sac se balançant à son avant-bras, elle se dirigea vers la grande salle à manger à l'affût d'une table vide. Des employés des bureaux alentour se pressaient également et une clientèle faite d'habitués assurait à la cantine la réputation du meilleur self-service de ce quartier de Budapest.

La salle était spacieuse et elle était divisée par de grands paravents pour lui donner un air plus convivial. Chaque table était pratiquement isolée des autres car les paravents étaient disposés en forme de croix. Elle finit enfin par s'asseoir à une table vide qui se trouvait à l'angle de deux paravents. Son ragoût de bœuf fumait sur son plateau, un papier presque translucide tenait lieu de serviette et des couverts d'une propreté douteuse, étaient négligemment jetés à côté de l'assiette creuse qui contenait son seul vrai repas de la semaine : la goulasch.

Madame Kovács, retraitée depuis cinq ans de la fonction publique, touchait un maigre pécule malgré les quarante ans de bons et loyaux services au bureau comptable de quelque ministère poussiéreux. Elle y avait passé les trois quarts de sa vie et au moment de quitter le petit vestibule étriqué et sans fenêtre où elle avait ses livres de comptes, personne ou presque n'était venu lui dire au revoir. Seul monsieur Horváth, de deux ans son cadet, lui avait apporté quelques fleurs entourées de papier journal. Ses autres collègues, à l'heure d'Internet et des portables de troisième génération, étaient bien trop jeunes pour comprendre la tâche à leurs yeux inutile, de compiler des chiffres dans de grands classeurs gris.

La cantine où elle se rendait tous les jeudis midi était toujours bondée, les repas étaient copieux, relativement bon marché et la joyeuse animation qui y régnait la sortait de sa solitude quotidienne. Y venaient aussi des employés du bâtiment dans leur bleu de travail sale et graisseux. Un chantier d'un nouvel hôtel de luxe se tenait à présent à la place du bain municipal qu'elle avait fréquenté tant d'années.

Magdolna Kovács n'avait rien contre le progrès, néanmoins, elle se sentait dépassée par toute cette technologie. Elle dévisageait les gens qui faisaient la queue, accrochés à leurs téléphones portables et qui semblaient s'adresser en gesticulant à des fantômes. En patientant que sa goulasch refroidisse un peu, ses yeux clairs s'arrêtèrent sur un homme de dos, en salopette, une casquette à l'envers vissée sur le crâne, qui parlait fort dans son minuscule téléphone pour couvrir la cohue du restaurant. Il s'exprimait dans une langue totalement inconnue et qui lui paraissait tantôt chantante, tantôt rude et, tout d'un coup, elle avait l'impression que les mots dégringolaient d'une manière qui lui paraissait bien barbare. Quand l'homme se retourna, elle vit que c'était un Africain, avec une peau noire d'ébène et des lèvres charnues qui se découvraient sur des dents d'une blancheur éblouissante.

Se défendant au fond de son âme du moindre soupçon de racisme, elle fut pourtant saisie d'un étrange sentiment en contemplant de si près, il est vrai, ce personnage d'un autre continent pour ne pas dire d'un autre monde. Elle ne savait à quoi attribuer cette méfiance à son égard, dont le seul crime eut été de parler fort comme tout un chacun dans une cohue bruyante. Magdolna Kovács se décida à se lever pour retourner à la caisse chercher du paprika et du sel pour ne plus avoir vis-à-vis d'elle ce diable venu d'on ne sait où. Elle trottinait vers la caissière, heureuse de ne plus avoir à refaire la queue. Les gens se bousculaient dans un brouhaha désagréable pour ses vieilles oreilles : ceux qui rapportaient bien consciencieusement les plateaux vides et ceux qui cherchaient des yeux une place qui se libère, leur déjeuner à la main.

Elle espérait trouver une salière et un poivrier rempli de ce que les Hongrois appellent l'or rouge, mais à son grand dam, la caissière lui jeta négligemment deux petits sachets en papier, certes bien plus hygiéniques mais si loin du charme des petites coupelles de porcelaine reliées entre elles qu'on trouve encore parfois aux puces.

À petits pas lents, madame Kovács tenta de s'orienter dans la confusion des allées et venues des clients pressés quand elle finit par reconnaître son angle de paravent en face du mur latéral. Elle contourna le pan de boiserie, ses petits sachets dans sa main tremblante quand stupéfaite, elle stoppa net au vu de sa table : le Noir était attablé devant son assiette de goulasch qu'il vidait à coup de grandes cuillérées. Partagée entre le sentiment de colère et d'humiliation, elle ne put un instant dire quoi que ce soit. Le travailleur immigré lui jeta un œil interrogateur avec un sans-gêne déconcertant, tout en continuant d'engouffrer les derniers carrés de bœuf et dans l'autre main, il tenait une tranche de pain imbibée de la bonne sauce aux poivrons et au paprika.

— Ah Monsieur ! Tout de même ! finit-elle par dire dignement, des larmes dans la voix : vous êtes en train de manger mon repas !

Pour toute réponse, l'Africain articula dans sa langue inconnue, des mots bizarres et bruyants comme pour s'excuser de sa faim et il s'agitait tout en désignant sa montre.

Toute remuée par l'indignation, il importait peu à Magdolna si cet homme était pressé ou s'il n'avait pas de quoi se payer de la nourriture, un seul mot se bousculait dans sa bouche comme une volée de cloches : voleur ! voleur !

La dame suffoquait de honte d'avoir été escroquée, dépossédée de sa goulasch en si peu de temps et elle se mit à hurler autant que lui permettait sa grêle petite voix :

— Vous êtes un voleur ! Vous m'avez mangé mon seul repas chaud de la semaine, misérable voleur !

La clientèle attablée alentour, intriguée par la digne grand-mère rouge de colère, prêta un peu l'oreille aux éclats de voix. Un jeune homme alla s'interposer car madame Kovács donnait des signes inquiétants de faiblesse. Il la fit s'asseoir à sa table et lui demanda de tout lui raconter. Reprenant un peu ses esprits et son digne maintien, Magdolna lui narra non sans qualifier de tous les noms d'oiseau, le crime inqualifiable de ce satané vautour ténébreux. Le Noir finit d'ailleurs tranquillement son assiette tout en grommelant quelque chose d'incompréhensible, sans oublier de saucer effrontément la dernière goutte avec son pain. Il se leva en voyant la foule d'yeux réprobateurs braquée sur lui et, pressentant peut-être une colère collective voire un lynchage, il fut soudain pris de peur panique, et s'enfuit du restaurant en courant.

Les autres clients s'étaient massés autour de la vieille dame près de la fenêtre et commentaient eux aussi allégrement l'incident, injuriant les « sous races », les nègres, les Tziganes et tous ces gens de couleur qui n'avaient rien à faire dans leur pays.

Les termes de ce discours choquèrent pourtant de plein fouet Magdolna qui, au fond, avait un cœur d'or. La colère passée, elle regardait et écoutait avec consternation les gens autour d'elle, vociférant leur haine des étrangers, plus enragés encore, plus vindicatifs qu'elle, prêts à renvoyer chez eux à coup de fusil tous ces intrus venus voler leur pain. Elle avait du mal à croire que tous ces gens, qui mangeaient paisiblement il y a une minute à peine, formaient à présent une meute hurlante et agressive.

Paradoxalement, elle était au fond bouleversée par cet homme venu de si lointaines contrées, loin des siens peut-être, pauvre et qui en était réduit à voler furtivement les repas des gens. Mais pourquoi a-t-il fallu qu'il s'en prenne précisément à elle, à son déjeuner, à sa goulasch ? Madame Kovács se leva pour rentrer et se mit à chercher son cabas. Elle fut soudain prise de panique à son tour, car son sac avait également disparu ! Elle chavira un instant sur ses jambes et dut s'asseoir, mais elle se reprit car elle avait bien observé l'homme quand il avait fui le restaurant.

Oui, elle en était certaine à présent, il n'avait pas emporté son cabas avec lui. Péniblement, elle se leva, perplexe, remercia poliment les gens pour leur soutien et se dirigea vers la porte en contournant le paravent par la gauche cette fois. Mais elle fut saisie d'horreur : elle se tenait devant sa propre table diamétralement opposée à celle de son prétendu voleur de goulasch : son assiette était là, intacte, certainement froide et immangeable à présent. Le cabas était là aussi, tel qu'elle l'avait laissé pour chercher du paprika.

Horriblement confuse de sa méprise et du tort qu'elle avait occasionné à ce pauvre bougre, elle se faufila à petits pas vers la sortie. Elle se demanda un court instant, s'il s'était agi d'un autre homme, un blanc, un Hongrois, aurait-elle eu la même réaction ? Aurait-elle tenté un vrai dialogue, une explication ? Il est vrai que la barrière linguistique ne jouait pas en sa faveur.

Néanmoins, ni le remords ni la honte d'avoir laissé accuser à tort cet homme ne purent la décider à le disculper auprès de ses compatriotes déchaînés.

Les larmes aux yeux, elle quitta discrètement l'établissement, sans manger, sans un mot, comme une voleuse.

***

L'opale noire

« Bienvenue à la Minérapole de France. »

— Oui, il n'y a pas de doute c'est ici ! dit toute joyeuse Margault en braquant le volant vers la sortie de l'autoroute indiquant Sainte-Marie aux Mines.

— Il était temps ! répondit d'un souffle Audrey. Que c'est loin de Paris ! On n'aurait pas pu venir en avion ? Ça fait depuis ce matin qu'on roule !

— Tu sais ma chérie, on n'aurait pas vu ces beaux paysages et ces jolis petits villages alsaciens ! Hein ? Et des choucroutes comme celle de ce midi, t'en trouves pas dans notre quartier ! Et puis je suis sûre que ça va te plaire ! Les expositions de minéraux sont toujours intéressantes et Damien nous attend. Tu as les billets qu'il nous a envoyés ? Allez, je me gare et on y va.

C'était la première fois que Margault allait à une exposition de la sorte mais ce qu'elle vit dès l'entrée, la laissa sans voix. Tout le centre-ville était fermé aux voitures et les tentes et les stands des exposants se succédaient sur plusieurs hectares.

Les tables d'expositions étaient envahies d'immenses tas de pierreries en vrac, de colliers de toutes les couleurs ; des jaunes en allant jusqu'au vert et au noir en ambre, au stand suivant, c'était des montagnes de Lapis lazuli bleu roi et or, des malachites vertes rubanées de noir, du corail, de la fluorite et d'autres trésors aux noms exotiques. Margault voyait avec satisfaction que les yeux de sa fille de douze ans pétillaient du même émerveillement que les siens et partout où se posaient leurs regards était source de fantastique beauté. Elle ressentait la même exaltation que lorsqu'elle découvrait de petits trésors dans les marchés aux puces en province.

Elle était antiquaire et n'était pas peu fière d'avoir une petite boutique au marché aux puces de Saint-Ouen. De vieux meubles aux couverts en argent, des bibelots et vielles céramiques aux pendules en bois, elle aimait ces objets car pour elle, ils avaient un passé, une histoire, une âme. Parfois, si par mégarde elle prenait en main un gobelet en plastique, c'est avec mépris, voire un certain dégoût qu'elle le reposait pensant que nul ne se souciera de savoir dans quelle commune poubelle il aura fini sa misérable existence.

— Maman, maman, regarde ! s'écria Audrey regarde ces pierres toutes carrées ! on dirait des cubes parfaits en or : c'est naturel tu crois ?

— Oui ! C'est incroyable non ? intervint Damien, ce sont des pyrites, on dit aussi l'or des fous. Regarde celle-ci dans sa roche mère : c'est chouette hein ?

— Ah te voilà Damien ! dit en se retournant Margault. C'est gentil de nous avoir fait parvenir ces billets d'entrée pour professionnels, pour la journée ouverte au grand public, demain ; ils annoncent une foule de départ en vacances !

— Ah oui, les minéraux attirent toujours un beaucoup de monde ! Je suis content que vous ayez pu venir ! dit le bijoutier en lui claquant la bise.

— Et toi, ça te plaît ? Audrey dut bien admettre que jamais elle n'aurait imaginé de tels trésors. Vous avez vu le chapiteau aux opales d'Australie ? C'est inouï, j'en ai rarement vu d'aussi belles, dit Damien tout sourire.

— Je ne connais pas bien cette pierre, c'est aussi une pierre précieuse ? demanda-t-elle par pure politesse à Damien sentant bien que c'était son violon d'Ingres. Des pierres, des gemmes, ce n'était pas ce qui manquait ici, alors…

— Les belles opales sont très rares, surtout des exemplaires comme celles-ci, d'ailleurs, on les appelle pierres fines. Il n'y a que le diamant, le saphir, le rubis et l'émeraude qui sont des pierres précieuses. Mais les opales sont une catégorie vraiment à part. Alors, on va les voir ? s'impatienta Damien comme un enfant devant une vitrine de jouets.

— Comme tu veux ! acquiesça Margault, si déjà on a fait plus de cinq cents bornes, c'n'est pas pour repartir au bout d'une demi-heure !

En effet, la visite émerveilla les deux filles et ces pierres laiteuses aux mille étincelles de rouges, de jaunes et de verts eurent sur elles un effet quasi hypnotique, elles ne pouvaient plus en détacher leurs regards.

Margault finit par en acheter une petite pour elle et une minuscule pour Audrey car ces pierres étaient belles certes, mais elles avaient un certain prix.

— Si tu veux, je peux te les faire sertir chez un ami, moi je n'ose pas y toucher c'est trop délicat car les opales sont très friables et fragiles.

La journée passa à toute vitesse et le petit groupe s'assit prendre un pot à une terrasse non loin des stands. Margault admirait sa petite pierre dans son papier de soie plié tout en sirotant une menthe à l'eau.

Audrey finit par s'assoupir sur l'épaule de Damien qui du coup avait bien du mal à terminer sa bière. Margault perdue dans ses pensées vit passer dans la foule, une dame en noir certainement très âgée. En fait, son regard d'antiquaire fut attiré non par le personnage mais par son ombrelle qu'elle tenait avec dignité. Le pommeau était tout en nacre et les baleines retenaient un magnifique tissu de brocart noir qui finissait en une très jolie dentelle anglaise. Margault détailla alors le visage de cette femme qui avait dû être très belle autrefois. Ses cheveux blancs argentés étaient impeccablement tirés en un chignon assez large et on eut dit que ce personnage était tout droit sorti d'une toile de Klimt. Elle se mouvait avec lenteur ce qui contrastait avec la joyeuse cohue des visiteurs. Margault la perdit de vue mais elle avait la nette impression qu'elle se dirigeait vers le fameux chapiteau aux opales.

— Allez, allez, debout chipie : il est huit heures et demie passées !
chantonna doucement Margault à sa fille.

— Mmmmh mmmmh, grogna Audrey de dessous son oreiller.

— Faut qu'j'y aille ! ton pt'it dèj est prêt. Appelle-moi s'il y a
quelque chose : et pas de télé ce matin : t'as des devoirs ! hein ? Hier,
on a fait une chouette virée, mais aujourd'hui on bosse !

— Mince, 'chuis en retard, à ce soir petit chat ! T'as qu'à te
commander une pizza pour midi ; je te laisse 25 euros sur la table de
la cuisine.

Margault se dépêchait car la clientèle du dimanche matin était faite
d'habitués ou de chineurs expérimentés. Les touristes venaient plutôt
l'après-midi. Elle était assez satisfaite de son escapade alsacienne de
la veille. Vraiment, cette expo valait le détour. Elle avait laissé ses
opales à Damien pour les faire sertir et elle était contente de savoir
qu'elle le reverrait bientôt. Ils s'étaient connus dans sa boutique et
avaient assez rapidement sympathisé. Leurs métiers respectifs avaient
assez de côtés passionnants pour leur donner matière à discussions.
Puis il était assez bel homme et elle aimait à entretenir avec lui une
relation ambiguë sans jamais rien laisser paraître de ses sentiments
pour ne pas rentrer de plain-pied dans une relation concrète. Son
divorce avec le père d'Audrey s'était très mal passé et depuis, elle
ressentait avec toute sa vigueur le sens du dicton « chat échaudé craint
l'eau froide ». De toute façon, à cause d'Audrey, elle ne voulait
entreprendre aucune liaison suivie pour ne pas la froisser.

La Journée était belle en ce week-end de fin juin, et l'été était
prometteur. Les affaires allaient bon train et Margault savait entretenir
son commerce avec de petits mots gentils envers ses habitués et une
négociation tout en finesse avec les experts.

— Bonjour Mónika ! dit Margault contente de voir une de ses
clientes préférées.

— Ah, bonjour ! répondit la dame sans quitter des yeux une
figurine en porcelaine. C'est combien ce petit sujet ? Je n'ai pas mes
lunettes, il n'est pas ébréché n'est-ce pas ?

— Je vais vérifier mais je ne crois pas. C'est 12 euros, c'est peint main. Oh ! ça a un nom imprononçable : « Zsolnay » c'est hongrois, je crois : ça vient de chez vous ! Début du siècle, je dirais, mais j'ai une magnifique assiette Meissen et cette théière de Limoges que je vous ai mis de côté.

— Oui, c'est tentant, mais vous savez, j'ai mes petites préférences, j'aime beaucoup la porcelaine de Hongrie ; mes « hongroiseries » comme je les appelle et cette figurine est très jolie. Alors combien si je vous la prends ?

— Allez, pour vous, ce sera 10 euros !

« Mais j'y perds ! » dirent-elles ensemble en riant.

— Je vous l'emballe. À bientôt !

— À dimanche prochain !

Mónika était une vraie chineuse comme on n'en fait plus ! Qu'il vente ou qu'il neige, elle venait tous les dimanches matin dès l'ouverture. Margault appréciait beaucoup les personnes qui savaient ce qu'elles voulaient. Combien de fois elle avait pesté contre des clients qui lui faisaient déballer de lourdes pendules sur leurs socles en marbre, ou lui faisaient sortir au prix de durs efforts de contorsion des objets de la vitrine qu'ils ne regardaient qu'à peine. Mónika, hongroise d'origine, collectionnait toutes sortes d'objets, des timbres aux vieilles poupées, de la vaisselle aux livres d'art.

— Sa maison doit être un vrai musée ! pensait Margault presque à voix haute et tout en lui faisant au revoir de la main, elle crut reconnaître, dans la foule, la dame à l'ombrelle qu'elle avait vue la veille, en Alsace. Quelle coïncidence ! Elle la perdit de vue et se demanda un court instant si elle n'avait pas rêvé.

La journée touchait à sa fin et Margault était ravie de rentrer pour savourer un repos bien mérité. Damien avait laissé plusieurs messages sur sa boîte vocale mais elle jugea préférable de ne le rappeler que le lendemain. La soirée appartenait à sa fille et elle tenait à ne pas déroger à ses habitudes.

Le lundi qui suivit était orageux et Margault grognait à l'idée d'une journée maussade. Les allées du marché aux puces étaient quasi désertes et parmi les étals vides, elle reconnut la silhouette de la dame à l'ombrelle qui se dirigeait d'un pas souple mais décidé, directement vers elle.

— Bonjour Madame ! Puis-je vous aider ? lui dit Margault, impressionnée par le personnage.

De près, la dame était vraiment belle et malgré son grand âge, son visage avait un teint reposé et frais. Elle portait un parfum capiteux qui lui allait à merveille. Sa robe en dentelles noires lui seyait bien et lui donnait l'allure d'une femme des siècles passés. Margault pensait qu'elle devait être en présence d'une ancienne aristocrate.

— Voui, cerrrrrtainement, lui répondit-elle en roulant les R : J'ai chez moi quelques bibelots, des brrrricoles et je leur cherche un acquéreur : êtes-vous intéressée ? Madame…

— Je m'appelle Margault Duprez, lui répondit-elle en espérant bien savoir son nom en retour.

— Très bien, vous vous déplacez, je suppose ? Vous trouverez mon adresse sur cette carte, lui rétorqua la dame en lui tendant de sa main gantée perdue dans un flot de dentelles une carte de visite avec des armoiries anciennes.

— Je vous attends demain à 14 heures précises, et je vous saurais gré d'être ponctuelle.

— Au revoir madame Du Pré !

Sans lui laisser le temps de lui dire si elle était disponible ou non, Audrey stupéfaite regarda la dame lui tourner dignement les talons et s'en aller avec l'élégance qui lui sied.

— Duprez ! En un mot ! marmonna Margault en détaillant la carte de visite :

Comtesse
Eléonore Báthory de Csejte
17 quai de Bourbon
Isle Saint Louis

— Mouais, c'est ce que je pensais ! Une Comtesse ! Mais elle me prend pour son domestique ? Je ne suis pas à ses ordres : je n'irai pas, dit-elle à haute voix comme pour mieux se persuader. Néanmoins, elle se ravisa un peu plus tard, intriguée tant par le personnage que par les « brrrrricoles » dont elle voulait se séparer.

Le soir venu, Margault arriva fourbue à la maison. Dans la cage d'escalier, elle ne fut qu'à moitié surprise d'y trouver Damien, un petit paquet à la main.

— Bonsoir ! lui dit-elle un grand sourire aux lèvres, c'est gentil cette visite surprise ! Viens entre !

— Audrey ! appela-t-elle, viens voir qui est là !

— Tu as dîné ? Si on sortait ?

— Écoute, je passe en coup de vent, j'ai essayé de te joindre toute la journée d'hier pour te dire que je venais, répondit Damien un peu bousculé par l'empressement de Margault, je t'ai apporté tes opales : je les ai fait sertir mais en serti clos, car je ne pense pas qu'elles auraient supporté des griffes longtemps.

— Ah comme c'est gentil, t'as fait vite ! Tu es pressé ? dit Margault déçue, c'est dommage ! T'as même pas le temps pour l'apéro ?

— Allez, si tu y tiens ! se résigna Damien mais pas plus d'une demi-heure, je dois voir quelqu'un à 21 h.

Margault eut la politesse de ne pas en demander davantage et servit un verre à son ami. Audrey, le nez dans ses livres d'école, lui fit juste un coucou de la main de sa chambre. Elle ouvrit le petit paquet et contempla avec satisfaction les deux pierres blanches qui scintillaient de mille feux colorés.

— Combien je te dois pour le sertissage ? demanda-t-elle.

— C'est un copain qui me l'a fait à prix d'ami, on va dire que c'est cadeau ! dit Damien, les yeux pleins de tendresse.

— Oh ! t'es adorable ! lui souffla-t-elle avec une bise claquante sur sa joue.

Elle raconta alors la singulière rencontre avec la fameuse comtesse et la drôle d'invitation qui visiblement ne souffrait aucun refus. Intrigué, Damien demanda à voir la carte de visite.

— T'as vu comment elle a écrit « isle » comme autrefois avec le s d'origine à la place du circonflexe.

— Tiens c'est vrai ; je n'avais pas remarqué ! C'est curieux ! et puis elle n'a pas mis « Paris » ni l'arrondissement ! quoique, tout le monde sait où se trouve l'île Saint-Louis. Et regarde la qualité du carton et cette encre dorée… Puis tu verrais comme elle est habillée, je croyais d'abord à une vision car je crois l'avoir entraperçue lorsque nous étions à l'exposition de minéraux avec toi, enfin je crois, dit-elle avec un vague sourire.

— C'est bizarre, répondit Damien les yeux tout ronds par la surprise.

— Et si tu venais avec moi demain, tu peux te libérer pour 14 heures, je suis sûre que son appart vaut le détour ! dit dans un seul souffle Margault.

— OK, je vais essayer, mais, là, faut que j'y aille je suis déjà en retard, embrasse Audrey, dit Damien n'ayant pas vu le temps passer. À demain peut-être ! rajouta-t-il en passant la porte.

Margault contempla une seconde encore la carte de visite de la dame en noir et s'en alla réchauffer le dîner toute à d'étranges pensées. Que signifiait tout ceci ? Lors de leur visite de la foire aux minéraux, les aurait-elle déjà vues, elle et sa fille ? Sa présence au marché aux puces était-elle fortuite ? Ou faisait-elle mine de chercher quelqu'un avant de l'apostropher elle ? Les apparitions aussi soudaines qu'inattendues de ce personnage tout droit sorti d'un roman d'Edgar Poe inquiétaient Margault sans quelle put toutefois préciser la nature de cette angoisse.

Elle chassa d'une main ses pensées obscures et se consacra au dîner avec Audrey toute joyeuse de porter sa petite opale autour du cou.

Le lendemain matin, une curieuse atmosphère régnait sur le marché. Margault se sentait mal à l'aise, comme si à chaque minute, elle allait voir réapparaître la comtesse. Cette sensation étrange prenait possession de son être et elle avait la désagréable impression qu'elle attendait sa venue comme malgré elle.

Damien la tira de sa torpeur en ouvrant brutalement la porte d'entrée de la boutique.

— Bonjour madame ! Puis-je voir ce vieil appareil photo dans votre vitrine ?

— Ah c'est toi ! ? Tu as pu venir, c'est sympa ! Tu veux vraiment voir ce Leica ou tu veux jouer au client casse-pieds ?

— Non je t'invite déjeuner ! dit-il dans un sourire ravageur, et après on ira voir ta comtesse.

— OK, mais l'addition est pour moi ! et pas de discussion ! Tu es sur mon territoire ! rétorqua vivement Margault.

Le déjeuner se passa de façon fort aimable et Margault se disait qu'elle avait de la chance d'avoir rencontré un être aussi gentil.

Elle savait qu'elle lui plaisait et malgré ses 35 ans, son visage était encore poupon et de jolies fossettes se creusaient sur des joues veloutées lorsqu'elle riait. Ses yeux étaient espiègles et pétillants et ses cheveux auburn avaient des reflets roux au soleil. Elle avait beaucoup de grâce et parlait toujours d'une voix passionnée. Il lui arrivait comme à tout un chacun d'être de mauvaise humeur, mais elle le montrait rarement. La vue de sa boutique, les objets qui ornaient les étagères de ses vieux meubles la ravissaient et elle était heureuse. Les clients d'ailleurs aimaient venir chez elle pour son professionnalisme bien sûr, mais aussi pour son chaleureux accueil.

Un peu contre son gré, elle ferma sa boutique maugréant contre celle qui l'avait l'invitée de manière si péremptoire, mais au fond, elle espérait beaucoup de cette rencontre. Peut-être un fauteuil Biedermeier qu'elle céderait à un bon prix ? Un Stradivarius abîmé ou oublié dans un grenier ? Qui sait le nombre de choses de valeur que de vieilles familles ignorent posséder. Elle rêvassait à tous ces trésors potentiels et ne remarqua pas que son silence embarrassait Damien.

Au fur et à mesure que le taxi s'approchait du quai de Bourbon, elle devenait grave et son mutisme contrastait avec le déjeuner qui avait été empreint de gaieté et d'insouciance. Damien respecta son humeur passagère et ne lui fit signe qu'à l'arrêt de la voiture.

Une bâtisse imposante se dressait derrière quelques arbres et un parterre de fleurs. Un large escalier de pierre menait à un hôtel particulier du XVIIIe. Un magnifique paon, qui sortit de dessous un arbuste, se mit à criailler de ses inimitables « Léon, Léon ».

— En voilà une sonnette originale, dit en riant Damien. Margault était sous le charme du bel oiseau.

— J'espère qu'il me fera la roue ! murmura-t-elle. Mais au même moment apparut une sorte de majordome en livrée qui ressemblait à s'y méprendre au Nestor de Moulinsard. Avec un geste circulaire les invitant à entrer, il leur dit sur une voix toute solennelle et les yeux mi-clos : si Madame Duprez et Monsieur veulent bien se donner la peine…

Margault était partagée entre une irrésistible envie de fou rire et une réponse de circonstance. Elle fit cependant un digne hochement de la tête pour toute réponse. Elle chuchota à Damien :

— Dis donc, comment faut-il saluer une aristocrate ?

— On vit en démocratie et la Révolution française a une fois pour toutes aboli les rangs. Et avec un sourire amusé rajouta : que Diable ! tu diras « Bonjour Madame » et puis c'est tout.

Discrètement, « Nestor » les avait précédés et leur demanda de patienter dans le vestibule. Le hall d'entrée était splendide. Les dalles de marbre noir et blanc s'alternaient jusqu'à un escalier de pierre que gardaient deux vieilles armures. De magnifiques boiseries et des tableaux de personnages ornaient les murs.

— Mais c'est vraiment Moulinsard ! pouffa Margault. Sa bonne humeur était revenue et elle contemplait les meubles, les tapis d'Orient, les magnifiques lustres de cristal.

Tout d'un coup, une grande porte s'ouvrit et Margault se leva immédiatement presque contre son gré et alla saluer la comtesse en s'inclinant légèrement :

— Madame la Comtesse, dit-elle, puis-je vous présenter mon ami alsacien, Damien Goetz.

La comtesse magnifiquement parée s'approcha de lui et avant qu'il ne puisse lui dire bonjour, elle lui avait présenté sa main à hauteur du menton, l'obligeant ainsi à faire un baise-main. Damien s'exécuta à contrecœur mais se retint de toute remarque ne voulant pas contrarier son amie.

— Je vous remercie de votre ponctualité, je ne puis souffrir les retardataires, c'est d'une vulgarité ! dit la comtesse en les invitant à la suivre de la main.

Margault et son ami se taisaient époustouflés par l'architecture du salon et les meubles Louis XVI qui l'ornaient. Tendu de satin beige, la pièce était circulaire et donnait sur une grande baie vitrée d'où l'on devinait toutes sortes de plantes exotiques. De lourds rideaux bordeaux sombre venaient recouvrir les voilages d'organdi brodé qui séparaient les deux pièces.

— Nous avons vu votre paon, il est vraiment splendide ! dit Margault impressionnée par la tenue de leur hôte. Cette fois-ci, ses habits n'étaient pas noirs mais tout au contraire, elle portait une longue robe en lin beige à volants et un chemisier à col un peu marin comme Silvana Mangano dans le film de Visconti. Damien quant à lui était muet d'admiration et semblait envoûté tant par les lieux que par la comtesse. « Nestor » parut avec un plateau d'argent sur lequel étaient disposées, dans le plus grand raffinement, des tasses en porcelaine fine, presque translucides, dont les ornements aux vives couleurs étaient indescriptibles. Margault pensa de suite à sa cliente Mónika et se disait quel dommage qu'elle ne voie pas ça.

— Merci, Edgar, vous pouvez vous retirer, dit la comtesse à l'adresse de son domestique, sans le regarder.

Margault faillit mourir de rire intérieurement en pensant - ça y est, j'y suis ! C'est pas Tintin, c'est les Aristochats ! Suis-je bête !

Damien lança à son amie un regard voulant dire « passons à l'essentiel. »

Margault déposa la jolie tasse à thé et demanda à la comtesse :

— Pourrions-nous voir vos objets à vendre ?

— Bien entendu, je vous les montre, dit-elle en se levant, par ici.

La dame ouvrit une porte à peine visible dans le mur et qui conduisait à une sorte de boudoir :

— Voilà, je n'utilise jamais cette pièce, vous pouvez entrer et choisir ce qui vous intéresse à l'exception de ce mannequin et de ce qu'il porte.

En effet, dans un petit salon tendu de velours bordeaux sombre rayé or, un Récamier, une table basse en granit, une horloge en laiton était posée sur une vielle commode marbrée début XVIIIᵉ et quelques bibelots en bronze entouraient une vitrine où se tenait une poupée de porcelaine grandeur nature qui portait une somptueuse robe vermeille de satin brodé tout le long de perles véritables et quelques autres pierres précieuses ornaient le bustier. Mais ce qui attirait le plus le regard était un collier d'une rare beauté. Une grande pierre noire en cabochon scintillait de tous ses feux colorés sur un ras du cou en or serti de petits diamants. L'âme du bijoutier faillit s'envoler devant cette merveille et il ne put se retenir de s'exclamer :

— Une opale noire ! je n'en ai vu que dans les livres !

— Vous croyez ? fit la Comtesse tout en roulant ses R à son habitude, vous savez, elle n'a pas de grande valeur, mais c'est un bijou que nous avons dans la famille depuis des lustres. Feu ma grand-mère, la Comtesse Elise m'avait dit qu'une de ses aïeules, Elizabeth, l'avait reçue au XVIᵉ siècle, d'un cousin du Tsar de toutes les Russies, le Prince Igor de Kamtchatka. Il lui avait certifié que c'était un diamant noir, mais il est mort assassiné ! D'ailleurs, ce bijou semble porter malheur à quiconque le porte, et depuis quelques générations personne n'a osé s'en parer !

Margault était vraiment sous le charme de cette pierre, plus elle la regardait, plus les couleurs changeaient, elle était comme hypnotisée par le feu interne de la pierre. Quand elle fermait les yeux, les couleurs dansaient encore devant elle, et cette persistance rétinienne la mettait presque en transe. La pierre explosait dans le plus splendide assortiment de couleurs miroitantes, une variété infinie de tons, de motifs et d'intensités. Il fallait que cette pierre lui appartienne ! Elle aurait voulu donner n'importe quoi pour la posséder. Elle était envoûtée et comme si sa vie en dépendait, elle supplia son hôte :

— Chère Comtesse, voudriez-vous me céder cette pierre ? Votre prix sera le mien ! Damien, presque aussi ému que son amie devant ce bijou rare, réagit toutefois assez vivement à cette demande quelque peu exaltée. Il tira du bras Margault qui ne quittait plus le bijou des yeux.

— Tu ne crois pas qu'il faille y penser un peu ? On est venus ici pour acheter des meubles pour ta boutique d'antiquité, si tu veux des bijoux, une opale noire, je me renseignerai chez des confrères. D'accord ?

Margault avait les larmes aux yeux et dut bien admettre que son ami était plus raisonnable, mais tout son cœur chavirait devant cette pierre fascinante.

Elle sortit son carnet de chèques, acheta l'ensemble des meubles et bronzes du boudoir pour un prix assez élevé et Damien, surpris, n'en revenait pas du manque de professionnalisme de son amie. Elle n'avait rien négocié, elle n'avait discuté ni le nombre des pièces, ni leur qualité, ni leur prix. Cela lui paraissait contraire à toutes les habitudes commerçantes de la jeune femme et il ne pouvait lui faire entendre raison.

Margault s'obstinait et finit par tout acheter sans réfléchir une seconde de plus. La comtesse prit tout cela avec un naturel déstabilisant comme si personne ne lui avait jamais tenu tête et que ses désirs étaient des ordres. C'est avec une voix tout à fait neutre qu'elle répondit à Margault :

— Je vous ferai livrer cette semaine à votre boutique. Malheureusement, pour le bijou de famille, cette opale noire comme vous dites, je ne peux me résoudre à vous la vendre. Ce n'est pas que j'y tienne particulièrement, mais, vous comprenez, elle appartient à ma famille depuis des générations.

Margault dut s'incliner devant cette sentence et comme un automate, elle sortit sans rajouter un seul mot. Damien fit ses adieux à la comtesse de manière peu courtoise, lui signifiant ainsi son mépris de sa manière peu commerciale de faire des affaires.

Il était noir de rage en poussant Margault dans le taxi qu'il venait de héler. En fait, il était complètement abasourdi par la réaction de son amie.

— Mais qu'est-ce qui t'a pris ? Je ne te reconnais pas ! OK, c'est vrai, c'est une très belle pierre, je n'en ai jamais vue de si belle, mais de là à l'acheter à n'importe quel prix ; tu es complètement folle ! et si elle t'avait demandé un million d'euros, tu aurais signé ton chèque ? Réfléchis un instant !

Margault restait pétrifiée dans son mutisme et elle ne lui répondit plus un mot. Damien la reconduisit chez elle, la confia aux bons soins d'Audrey et lui dit qu'il viendrait le lendemain prendre des nouvelles.

La semaine qui suivit parut durer une éternité à Margault. Elle avait passé le lendemain de sa visite à la comtesse aux proies d'un mal confus qui lui paralysait tout son être. Damien, après une visite éclair pour se rassurer, dut rentrer à Strasbourg non sans rester perplexe sur l'attitude incompréhensible de Margault. Elle avait sombré dans une sorte de léthargie inexplicable. Il lui avait promis de revenir le week-end du 14 juillet qui tombait un lundi, ce qui lui ferait 3 jours entiers à consacrer à son amie.

Le dimanche suivant, Margault se rendit à sa boutique comme guérie de son mal mystérieux et fut toute contente de voir arriver sa cliente préférée. Bonjour Mónika ! ça fait un bail !

— Bonjour Margault ! mais non ! Je suis venue dimanche dernier, vous ne vous souvenez pas ? Je vous ai même pris une petite figurine, vous vous rappelez ?

Bien entendu, Margault se souvenait parfaitement, mais le temps lui avait paru si long ! Elle avait du mal à croire qu'une seule semaine s'était écoulée depuis sa dernière visite.

— Je suis allée en visite chez une comtesse, vous auriez vu sa porcelaine ! Une merveille ! J'ai pensé à vous d'ailleurs ! Regardez, voici sa carte :

Margault tendit la carte de visite à l'encre dorée aux belles armoiries et à sa cliente qui lui répondit tout étonnée :

— Mais, c'est une comtesse hongroise ! Je connais ces lettres le « Cs » se prononce « tch » en hongrois. C'est drôle, rajouta-t-elle, je ne savais pas qu'il existait encore des comtes et des comtesses !

— C'est une famille très ancienne, paraît-il, qui remonte au XVIᵉ siècle ! dit Margault en récupérant sa carte.

— Si vous voulez, je ferai des recherches sur cette famille : j'aime bien tout ce qui a trait à la généalogie et à l'héraldique.

— Bonne idée ! lui répondit l'antiquaire, à dimanche prochain !

Margault tenait entre ses doigts sa petite opale achetée à la foire aux minéraux avec Damien. Elle était jolie mais était loin de la beauté de l'opale noire vue chez la comtesse Báthory. Sur le fond blanc laiteux, une myriade de petits points de couleurs dansaient au gré des inclinaisons que lui donnait Margault et des différents angles qu'on la regardait, les rouges devenaient verts et puis jaunes. Cela était dû à la teneur en eau de la pierre. Margault dévorait tout ce qu'elle pouvait lire sur Internet sur cette gemme. Elle cliquait sur les sites comme le « National Opal Collection » ou sur les pages consacrées à l'Australie, la « roche mère » de bien des opales :

« Unique, la beauté de l'opale réside dans le fabuleux jeu des pures couleurs spectrales particulières à cette pierre précieuse. La splendeur de ce jeu provient de la diffraction de rayons lumineux sur les sphères de cilice qui ne peuvent être détectées qu'à l'aide d'un microscope électronique. On observe un phénomène semblable lorsqu'on regarde de l'huile reposant sur de l'eau ou un arc-en-ciel. L'opale noire, c'est la plus prisée car les couleurs spectrales paraissent plus intenses sur le fond sombre, on la distingue facilement par son fond noir. Elle provient principalement de Lightning Ridge. Les pierres de haute qualité sont très rares. »

Avec la ponctualité qu'elle revendiquait, les meubles et autres « bricoles » avaient été livrés en temps et en heure le vendredi par la comtesse, sans un mot d'accompagnement ou de lettre. Margault en fut triste sans vraiment se l'expliquer. Elle dut admettre qu'elle avait été impressionnée par cette dame des temps anciens et que bien souvent elle repensait à elle et à son fabuleux trésor.

En une seule semaine, Margault avait changé. Comme obnubilée par cette pierre, elle en délaissait le reste. Son caractère si enjoué habituellement devenait sombre et acariâtre et sa relation ternit non seulement avec sa clientèle, ses amis mais aussi avec sa fille. Elle était moins présente pour elle et Audrey en souffrait. Mettant cela sur le compte de difficultés passagères, la jeune fille ne montra guère d'inquiétude au début. Leur relation se réduisait au minimum et au fur et à mesure Audrey se détachait de sa mère ; elle devenait effrontée et paresseuse. N'importe quel psy en aurait déduit que c'étaient des appels au secours pour que sa mère s'occupe plus d'elle, rien n'y fit. Margault quant à elle, était exaspérée, elle mettait tout cela sur le compte de la préadolescence sans s'en soucier davantage et se réfugiait de plus en plus dans une relation autoritaire ce qui avait pour résultat de braquer encore plus Audrey.

Pareillement, la venue de Damien tant attendue s'était soldée par des disputes catastrophiques car l'unique préoccupation de Margault était d'en savoir plus sur les pierres en général et les opales en particulier au détriment de tout le reste. Damien ne reconnaissait plus du tout son amie et à ses reproches à peine déguisés sur son comportement tant professionnel que familial, elle était sourde et finit par s'emporter en congédiant son ami sans aucune autre forme de procès.

La seule personne que Margault voyait avec un réel plaisir était Mónika, sa cliente habituelle du dimanche matin. Surtout depuis que cette dernière avait entrepris des recherches sur la famille Báthory de Csejte. À sa grande surprise, le nom de Báthory était lié à pratiquement un seul membre de la famille. Il s'agissait de la Comtesse Elizabeth, « la comtesse Rouge », qui avait eu une réputation de châtelaine sanglante et selon la légende, que quelques historiens ont corroborée depuis, cette très belle femme, qui était obsédée par la beauté éternelle, avait à son actif le meurtre et la torture de plusieurs centaines de jeunes filles vierges. Son nom figure dans les tristement célèbres tueurs en série. Ses crimes immondes, les tortures atroces, les orgies et ses légendaires bains dans le sang frais de ses victimes qui lui aurait assuré le secret de la jouvence et sa fin tragique emmurée dans son propre château avaient depuis toujours défrayé la chronique et donné matière à de nombreux romans morbides et films gores et violents.

Margault écoutait les révélations de Mónika sur la sanglante comtesse et se disait dans un frisson qu'Eléonore était certainement une descendante directe de la châtelaine de Csejte.

Plus d'un mois avait passé entre sa visite à l'île Saint-Louis. Elle ne fut cependant pas surprise de voir arriver à sa boutique Edgar, le majordome de la comtesse, un peu comme si elle attendait cette venue depuis longtemps. Il lui remit avec cérémonie un petit paquet et une lettre cachetée à la cire rouge et s'en retourna. Le sceau des Báthory scellait le parchemin. Margault en fut toute remuée. Elle ouvrit en premier le petit paquet qui contenait un vieil écrin de velours sombre dont les ornières étaient à moitié rongées par la rouille. À sa grande surprise, l'opale noire tant convoitée s'y trouvait. Estomaquée par ce cadeau sans prix, elle ouvrit fébrilement la lettre :

Chère Madame Du Pré,

Veuillez accepter ce présent qui je pense ne manquera pas de vous faire plaisir. Souffrante, le temps n'arrangeant point les choses et n'ayant pas de descendant direct, cette pierre ne saurait trouver meilleure maîtresse que vous. J'ai n'ai pu que constater avec satisfaction votre plaisir à la contempler et votre désir de la posséder.

Votre engouement à son égard est pour moi le garant qu'elle sera entre de bonnes mains.

Je serais heureuse de vous revoir.

Cordialement vôtre,
Eléonore Báthory

Il n'en fallait pas plus pour sortir Margault de cette espèce de léthargie dans laquelle elle sombrait depuis sa première visite à la comtesse. Négligeant sa boutique et sans prendre rendez-vous, elle se jeta dans un taxi et se rendit chez Eléonore Báthory.

Elle sortit fébrilement son portable et se risqua à envoyer un SMS à Damien dont elle n'avait pas de nouvelles depuis leur dispute mi-juillet. Sur le clavier de son portable, elle cliqua consciencieusement sur les lettres qui confirmaient par un bip leur insertion dans le message.

« Faut qu'on parle, appelle-moi dès que tu peux »

La réponse, qui ne tarda guère, était pour le moins laconique : « pa le tan a+ D »

Margault avait en horreur les textos où les mots en étaient réduits à leur seule résonance phonétique et elle se disait souvent que dans peu de temps l'humanité rentrerait dans l'ère de Big Brother et que la « novlangue » se substituerait au langage et qu'au même titre, de manière proportionnelle, l'intelligence des gens se réduirait comme une peau de chagrin.

D'ailleurs, le processus avait déjà peut-être commencé, rectifia-t-elle dans un vague sourire. D'autre part, compte tenu de leur dernière entrevue, la froideur de Damien était on ne peut plus légitime.

Elle régla le taxi et bondit hors de la voiture, le petit paquet et le parchemin à la main.

La grille de la maison était fermée et ne trouvant pas de sonnette, elle espérait que « Léon » se manifesterait pour la saluer. Le paon ne se montra pas plus que le majordome et au bout de cinq longues minutes, elle se mit à farfouiller dans son sac à la recherche de la carte de visite de la comtesse et fut bien déçue de ne pas y trouver de numéro de téléphone.

Au même instant une vielle jaguar vert sombre passa à sa hauteur et s'engagea vers l'allée principale face à la grille ; elle fut soulagée d'en voir sortir Edgar, le majordome de la comtesse. Il portait une casquette de chauffeur et des gants de conduite. Il n'avait pas l'air surpris de la voir alors qu'il venait de la quitter à sa boutique.

— Edgar, veuillez dire à Madame la Comtesse que je souhaite la voir pour la remercier de son cadeau et…

Avant même qu'elle ne finisse sa phrase, le majordome lui répondit les yeux mi-clos :

— Madame ne pourra vous recevoir, Madame est souffrante et ne souhaite voir personne.

Margault réalisa à quel point elle avait précipité sa visite, sans un bouquet de fleurs, sans aucun présent et surtout chose totalement incongrue aux yeux du majordome : sans rendez-vous.

— Oui, excusez-moi, effectivement, je ne lui ai pas fait part de ma visite, mais dans son mot elle m'a prié de venir la voir, je vous prie donc de m'annoncer, dit Margault sur un ton plus autoritaire.

— Madame ne saurait vous recevoir, croyez Madame que j'en suis désolé, veuillez lui écrire et elle vous répondra certainement, lui répondit Edgar sur un ton affecté.

Margault s'impatientait intérieurement et finit par céder, elle acquiesça de la tête et s'en alla. Elle marchait sur les quais de la Seine et laissait vagabonder ses pensées. Un grand vide s'était emparé d'elle comme après un échec professionnel ou une rupture amoureuse. Elle marchait sans but précis, machinalement, tenant soigneusement son paquet à la main, n'osant l'ouvrir. Elle tremblait de rage en son for intérieur d'avoir été éconduite par cette espèce de majordome. Elle ne parvenait pas à se maîtriser ni à s'expliquer son empressement à vouloir rencontrer la comtesse impérativement. Toute à ses pensées, elle dut bien admettre qu'elle était attirée par ce personnage, par son aura, par son maintien altier, son vocabulaire châtié, sa voix grave et hautaine. Son rang de comtesse lui proférait un charme tout particulier et Margault se disait que c'était vraiment une personne extraordinaire. Elle se souvenait presque dans un sourire de l'aversion qu'elle avait ressentie au début envers la comtesse et que lentement, comme une amante qui cède enfin au courtisan, ses pensées, son âme et tout son être étaient comme aspiré par le charme d'Eléonore. Elle ne pouvait ni ne voulait lui résister, elle se voyait se jeter à ses pieds, comme un sujet devant sa reine. La soumission dont elle faisait preuve était pourtant diamétralement opposée à son caractère : paradoxalement, cet abandon de soi lui était soudainement devenu vital et elle se serait soumise à tous les caprices et à toutes les exigences de la comtesse. Elle réalisa dans un soupir qu'elle s'abandonnait et qu'elle y prenait un certain plaisir.

Elle se sentait vaincue et rendait les armes de bonne grâce.

Le fait de la savoir souffrante, voire mourante la désespérait. Il fallait qu'elle la voie, impérativement et sans délai. Margault ne pouvait se résoudre à rentrer bredouille chez elle. Elle fit demi-tour et d'un pas décidé se rendit devant la grille de l'hôtel particulier de la comtesse. Un « Léon, Léon » salvateur lui rendit le sourire et au regard empreint d'un certain mépris du majordome, elle força la porte et entra dans le vestibule.

— Dites à Madame que je suis là, ordonna-t-elle à Edgar : je suis certaine qu'elle voudra bien me recevoir.

— Bien madame, veuillez patienter dans le petit salon, se résigna le serviteur en s'inclinant bien contre son gré.

Margault était tout en émoi à l'idée de revoir la comtesse. Elle sortit de son écrin le bijou ancien et se le passa autour du cou. Elle portait une robe d'été en soie rouge et noire et l'opale scintillait de tout son éclat sur la gorge de sa nouvelle maîtresse. Son contact était froid un instant et la pierre se réchauffa au contact de sa peau. Son feu intense la gagna de l'intérieur et Margault avait l'étrange sensation de ne faire qu'un avec la pierre, comme si l'opale lui avait toujours appartenu. Elle se demanda un instant si ce n'était pas elle qui avait toujours appartenu à l'opale et comme si elle fêtait des retrouvailles, une larme de bonheur perla à ses yeux et elle poussa un long soupir de satisfaction.

Edgar parut et invita sans mot dire Margault à le suivre. Ils prirent le grand escalier et au bout d'un long couloir bordé de voilages, le majordome poussa une épaisse porte en bois.

De lourds rideaux de velours étaient tirés et la chambre de la comtesse était dans l'obscurité mais on distinguait nettement le lit à baldaquin où elle était étendue.

Margault saisit la main d'Eléonore et se hasarda à lui dire le plus doucement possible comme pour ne pas la réveiller :

— Chère comtesse, ne m'en veuillez pas d'avoir ainsi forcé votre porte, il fallait que je vous voie.

— Margault, je suis heureuse de vous voir, dit Eléonore en chuchotant, je ne suis pas au mieux de ma forme, mais qu'importe !

En apercevant l'opale noire malgré la pénombre de la pièce, elle s'exclama :

— Ah, vous l'avez reçue ? Tant mieux, j'avais peur de ne plus pouvoir vous l'offrir.

— Eléonore, je ne sais comment vous remercier pour votre magnifique collier, il est merveilleux, je saurai m'en montrer digne.

Margault commençait à s'habituer à l'obscurité qui régnait dans la chambre, et elle vit que la comtesse était couchée dans une chemise de nuit en satin beige dont le col en larges dentelles était entrouvert et que malgré son âge, sa peau était peu marquée par le temps. Elle ne montra pas sa surprise et rajouta :

— Si vous êtes souffrante, je reviendrai plus tard ; vous avez vu un médecin ?

— Venez souper, vendredi soir, dit à voix basse Eléonore en éludant la question. Je crois que vous avez aussi une fille, je serais ravie de la connaître, je la verrai avec plaisir.

Margault comprit que la vieille dame voulut prendre congé et, à contrecœur, se retira en admettant qu'il fallait la laisser se reposer.

— Allez, viens, ne m'en veux pas pour l'autre jour, c'n'est pas grave, une petite dispute : Margault faisait de son mieux pour s'excuser auprès de Damien.

Un peu moins d'un mois s'était écoulé depuis leur querelle et Damien se méfiait de ce soudain revirement de comportement.

— Mais tu ne te rends pas compte comment tu m'as parlé et comment tu m'as traité ! tu m'as littéralement jeté à la porte alors qu'on avait prévu de passer le week-end ensemble ! tu étais insupportable et Audrey a pleuré pendant tout le repas, tu ne l'as même pas remarqué.

— C'est vrai ? C'est incroyable ! répondit brièvement la jeune femme en omettant peut-être sciemment de relever davantage le reproche. Écoute j'aimerais te voir, j'ai quelque chose à te montrer et on est invités à dîner chez la Comtesse, oh pardon, à souper ! donc viens à la maison vendredi prochain vers 21 heures on prendra l'apéro et on sera chez elle vers 22 h.

Les jours qui suivirent furent presque « normaux ». Bien entendu, l'opale noire ne quittait plus le cou de Margault et était le centre de quasi toutes ses conversations. Bien des clients s'extasiaient sur sa beauté. L'antiquaire avait presque retrouvé son attitude enjouée d'avant. Mais pour ceux qui la connaissaient bien, comme Audrey et Damien, quelque chose sonnait faux et ils n'arrivaient pas à définir précisément quoi.

Intrigué par cette soirée en perspective, Damien finit par accepter l'invitation, pensant ainsi reconquérir les faveurs de son amie et s'empressa de réserver un vol vers la capitale.

Audrey eut plus de mal à accepter, puis à son âge, elle n'avait guère d'alternative. Puis elle se disait que le moment est venu pour faire la paix et remettre les pendules à l'heure avec sa mère. Audrey faisait de son mieux pour retrouver avec elle cette gaie complicité qui caractérisait leur relation et qui lui faisait à présent cruellement défaut. Mais elle avait beau faire tous les efforts du monde, elle sentait bien que sous une façade policée et « normale », sa mère n'était plus la même et que son seul centre d'intérêt était cette maudite pierre. Oui, Audrey en était de plus en plus persuadée, cette pierre était maléfique et tenait sa mère en une sorte de pouvoir. Elle commençait à formuler avec des mots ce qu'elle n'osait admettre : la pierre avait une influence certaine sur sa mère et annihilait tout le reste. Elle avait la ferme conviction que sa mère était comme possédée par l'Opale noire et que la seule personne qui tirait profit de la situation était cette espèce de comtesse sortie d'on se sait où.

Damien arriva chez Margault un grand bouquet de fleurs à la main.

— Quel magnifique bouquet ! Eléonore sera ravie ! dit avec un large sourire Margault, viens entre, mets-toi à l'aise.

— Le bouquet, c'est pour toi ! dit estomaqué Damien, je viens juste prendre un verre ; je n'ai nulle envie d'offrir des fleurs à cette femme dit-il en enlevant sa veste. Soudain, en voyant enfin le bijou au cou de la jeune femme, il s'exclama :

— Mais tu lui as acheté l'opale ?

— Erreur, cher ami ! Je l'ai eu en cadeau ! dit Margault avec un sourire vainqueur.

— En cadeau ? Un bijou de cette valeur ? Tu ne crois pas que c'est louche ? Qu'est-ce qu'elle te veut ? Damien devenait rouge de colère devant la naïveté évidente de Margault. Il n'arrivait pas à admettre que la jeune femme ait perdu le bon sens le plus élémentaire. Déjà lors de l'achat des meubles, elle avait fait preuve d'un manque total de discernement mais de voir, sans contrepartie aucune soi-disant, cette pierre chatoyante miroiter au cou de son amie, le laissa dans une profonde affliction.

— Mais qu'est-ce que tu vas t'imaginer ? Elle m'aime bien, c'est tout ! Puis changeant le ton de sa voix, elle lui rétorqua en se laissant gagner par la colère :

— Et puis en quoi ça te regarde ? Je ne vois pas de quel droit tu me juges ! Moi qui croyais que tu serais heureux pour moi, mais je vois bien que tu es égoïste et peut-être même jaloux !

Damien n'en croyait pas ses oreilles, une foule d'arguments se précipitaient dans sa tête, mais quand il vit l'expression de mépris qui déformait la bouche de son amie, il comprit que toute remarque serait totalement inutile et ne ferait qu'aggraver la situation. Il se leva, amer, prit sa veste et se dirigea terriblement déçu vers la porte d'entrée.

Margault le dévisagea et lui tourna le dos sans rajouter un seul mot. Le bijoutier n'avait même pas eu le temps de saluer Audrey qu'il entendait se préparer joyeusement dans la salle de bain.

— Bonsoir Audrey ! lui cria-t-il, amuse-toi bien !

— Attends, attends ! lui hurla-t-elle à travers la porte et elle se précipita après lui une serviette sur la tête et en peignoir.

Damien se trouvait déjà dans les escaliers et fut heureux d'embrasser Audrey.

— Tu ne viens pas avec nous ? demanda-t-elle étonnée.

— Non, et je ne reviendrai plus Audrey, je suis désolé, j'aimais beaucoup ta maman mais, je crois qu'elle a beaucoup changé et elle a des réactions que je ne peux pas accepter.

La tristesse se lisait dans les yeux de Damien et Audrey en perdit sa bonne humeur et lui répondit avec dans la voix quelque chose de douloureux :

— Oui, tu as remarqué toi aussi ? Je ne comprends pas, elle est complètement obsédée par l'autre vieille !

Audrey raconta alors à Damien l'enfer dans lequel elle vivait. Elle lui narra dans une fébrile excitation à quel point elle se sentait abandonnée par sa mère.

Obsédée par son opale et la comtesse, rien d'autre ne semblait compter pour elle, qu'elle était certainement possédée par le diable en personne et que franchement elle commençait à avoir peur et du coup, elle n'avait plus du tout envie de se rendre au souper. Audrey lui avouait que son manque de tendresse, ses petits câlins, leurs moments à elles tout simplement, s'étaient évaporés. Sa mère avait fait place à une méchante marâtre. Tout le discours de la jeune fille était décousu et exalté mais elle avait l'air sincère et tout à fait désemparée devant les faits.

— Audrey ! Viens te préparer, faut y aller ! hurla la voix de Margault à travers la porte.

Damien tenta de la consoler encore une minute du mieux qu'il put, s'excusa et la laissa là, dans l'escalier, au bord des larmes.

Il sortit de l'immeuble et marchait dans les rues de la capitale en ruminant des pensées étranges. Damien aimait le mois d'août à Paris. Abandonnée par une bonne partie des Parisiens en vacances, Paris reprenait un charme de ville de province. Il flânait mais se sentait d'une négligence coupable vis-à-vis de Margault et surtout d'Audrey. Mais que pouvait-il faire d'autre ? Il dut pourtant admettre qu'il venait d'abandonner lâchement la jeune fille en proie à son désarroi. Les arguments d'Audrey semblaient sans fondements et dans un premier temps, il se força à penser qu'elle regardait trop la télé. Du reste, il était persuadé que la préadolescente en rajoutait volontiers une couche. Néanmoins, le fil de ses réflexions le rangea quasiment au même avis que la jeune fille. Il revoyait la Margault qu'il connaissait bien, cette jolie femme énergique, espiègle, joyeuse, intelligente et fine commerçante. En évoquant alors leurs dernières entrevues, il eut la nette impression qu'il l'avait perdue. Comme si elle était rentrée dans une secte ou quelque chose de semblable.

Son vol retour n'était prévu que le lendemain soir et Damien se demandait ce qu'il allait bien faire jusque-là. La métamorphose de Margault le tourmentait et il ne savait pas comment réagir. Il tenta d'analyser point par point la situation. Audrey se sentait en danger, mais était-elle réellement menacée ? Elle avait l'impression que sa mère devenait une étrangère. Intervenir auprès des autorités ? Cela lui paraissait ridicule car rien de concret, ni rien de vraiment répréhensible n'avait eu lieu.

Un brusque changement de comportement ne pouvait être à lui seul, un argument de poids pour une quelconque intervention de la police ou des services sociaux.

Au fur et à mesure, le doute s'empara de lui : et si effectivement Audrey était en danger ? Pourquoi Margault se focalisait-elle tant sur la comtesse et sa pierre ? Son caractère coléreux et exclusif reflétait-il vraiment son être profond ?

Des questions de plus en plus incongrues harcelaient à présent le cerveau de Damien : quel était le rôle, voire le pouvoir de l'opale, quand bien même il en eût un ? Il se souvenait de la fascination avec laquelle Margault avait plongé son regard dans les abysses multicolores de la gemme. Lui revinrent alors à l'esprit les larmes et la douleur quasi physique de Margault quand elle dût se résigner à renoncer à son achat. L'opale noire avait-elle un réel effet sur la personnalité de Margault ? Ou était-ce pure coïncidence ? La comtesse tenait-elle vraiment Margault prisonnière par quelque pouvoir maléfique ? Un pouvoir hypnotique peut-être ?

Il n'en connaissait pas la réponse mais l'évidence était là !

Il fallait s'en assurer et le meilleur moyen était de se rendre chez la comtesse pour en avoir le cœur net.

C'était une belle nuit de pleine lune et une douce chaleur nocturne régnait sur l'île, loin du fracas de la capitale. Quand Damien poussa la grille du pavillon où demeurait la comtesse, il était loin de s'attendre au cruel spectacle qui s'offrirait à lui. Le hall d'entrée était à peine éclairé par un candélabre, une musique de clavecin baroque lui parvenait au loin. Le grand salon ovale, où il était déjà venu, donnait sur une salle à manger en vis-à-vis de la verrière aux plantes exotiques. Une longue table ornée de deux chandeliers était dressée de la plus belle porcelaine fine qui existe et le cristal des aiguières et des verres à pied étincelait dans le crépitement du feu de la grande cheminée au fond de la pièce.

Une odeur suave de fleurs embaumait alentour mais Damien était intrigué par l'absence tant des convives que de leur illustre hôte. Nulle trace en effet de la comtesse, de son serviteur et encore moins de Margault et de sa fille.

Tout d'un coup, un cri affreux trancha net ses pensées et Damien se précipita en direction de la voix qu'il crut reconnaître étant celle d'Audrey.

Il finit par pénétrer dans une vaste salle d'eau, il vit alors Audrey gisant nue dans un petit bassin de marbre, les poignets ensanglantés. Elle commençait à se vider de son sang. Margault et la comtesse se tenaient en silence au bord du bassin, impassibles, debout sous un immense tableau représentant une femme en habits du XVIe siècle et Damien reconnut de suite la robe que portait le mannequin en porcelaine dans la vitrine du boudoir. Il se précipita vers la jeune fille pour lui garrotter les mains, bousculant sur son passage la vieille dame et Margault totalement inertes et passives.

Il sortit de sa poche son portable alertant immédiatement les secours et la police. Il entendit distinctement le moteur de la Jaguar démarrer, faisant crisser les cailloux de l'allée. Le majordome avait préféré la fuite, évitant ainsi d'être mêlé au sanglant rituel. Fou de rage et de douleur en voyant Margault qui laissait immoler sa propre fille, Damien se jeta sur elle et la gifla de toutes ses forces au point qu'elle en perdit connaissance. La comtesse en tenue de cérémonie se laissa choir dans un large fauteuil en rotin en grommelant quelque chose d'incompréhensible. Elle scandait une sorte de litanie et se lamentait que tout était désormais perdu.

Damien avait enveloppé dans un drap de lin la jeune fille qui revenait doucement à elle. Il détaillait la toile sur le mur et fut saisi d'effroi en constatant que la dame sur le portrait était parée de l'opale noire. Dans un ultime accès de rage, il se précipita sur Margault toujours évanouie, lui arracha du cou le collier qu'il fracassa contre le marbre du bassin. La belle pierre se brisa en une pluie de poussière noire étincelante. Au même instant, le corps sans vie de la comtesse s'affaissa sur le sol et Margault reprit ses esprits.

— Damien ? Audrey ? qu'est-ce que... Où on est là ? et comment...

Margault n'arrivait pas à formuler la moindre question et sa joue endolorie la ramena à la terrible vérité et elle réalisa tout d'un coup que sa fille était là en larmes, maculée de sang, le visage blafard. Comme sortie d'un rêve ou plutôt d'un cauchemar, elle contempla avec horreur la dépouille d'Eléonore Báthory, qui avait maintenant l'aspect d'un cadavre momifié et édenté.

Curieusement, la presse parla peu de cette affaire. Le silence le plus strict entoura la mort étrange de la descendante de la Comtesse Rouge et le secret de son éternelle jouvence. Les bains de sang frais de vierges ne défrayèrent pas la une des journaux. Aucun scoop non plus sur les pratiques sadiques incriminées au procès-verbal qui pourtant attirent en général une foule de lecteurs friands de détails sordides. Le majordome quant à lui avait été interpellé à la frontière suisse et arrêté pour complicité de tentative de meurtre.

Margault passa quelques semaines dans un hôpital psychiatrique et fut toutefois inculpée de tentative d'infanticide, d'attentat à la pudeur sur mineure de moins de quinze ans. Mais au vu des révélations de Damien, le tribunal commua sa peine à non-assistance à personne en danger.

Audrey, profondément choquée par les événements, mit du temps à se reconstruire. Nul ne sut au fond ce qui s'était véritablement passé, quelles furent les réelles motivations de Margault. Quelles forces opiniâtres et surnaturelles avaient jugulé son instinct maternel ? Par quel obscur moyen la comtesse l'avait-elle envoûtée ? Comment un sinistre bijou, une pierre inerte, avait-il pu annihiler le tempérament si fort de Margault ? Aucun doute pourtant pour Damien et Audrey : elle avait été sous l'emprise de l'une ou de l'autre ou bien des deux. Plusieurs mois plus tard, une lettre de notaire vint annoncer à Margault que la comtesse faisait d'elle sa légataire universelle. L'hôtel particulier et tout ce qu'il comportait devenaient sa propriété. Elle hérita même du titre de comtesse et de terres en Transylvanie, région qui avait appartenu au royaume de Hongrie.

Elle hésita quelques jours mais finit par accepter en se disant qu'elle en avait déjà payé le prix fort cher : ce lourd tribut valait bien quelque compensation.

Dans l'inventaire où figuraient meubles anciens, bibliothèques, tableaux de maître, vaisselle fine et même le paon, la nouvelle comtesse eut la stupéfiante surprise de trouver parmi les bijoux d'Eléonore, l'Opale noire intacte dans son écrin de velours sombre.

***

Une victoire tardive

« Get up stand up, stand up for your rights »...

L'autoradio crissait sous un pont de l'autoroute, Edwige augmenta le son : « Ah, mes 20 ans, Bob Marley ! Connais-tu ce chanteur, ma chérie ? »

— Non, lui répondit sa fille, sagement ceinturée sur la banquette arrière, regardant silencieusement le paysage monotone. Ses yeux suivaient nonchalamment les bornes et les grillages le long de la double voie : quelques rapaces immobiles, à l'affût de leurs prochaines proies, ponctuaient le décor et semblaient lui donner un peu de vie. Lucie en avait déjà compté quatre.

— C'était un chanteur jamaïcain, que maman aime beaucoup ! Elle augmenta le son. Surtout celle-ci, c'est ma préférée.

« Don't give up the fight ». À présent, Edwige chantait à tue-tête rythmant de ses mains sur le volant le tempo si caractéristique du reggae.

— Sais-tu ma chérie, qu'en Hongrie, un poème presque identique a soulevé la population pendant une révolution ? Ici, ce n'est pas connu mais le texte hongrois est bien plus ancien.

— De quoi ça parle ta chanson, Maman ? demanda Lucie, ravie de pouvoir papoter avec sa mère et de suspendre son addition idiote de buses et de choucas.

— Eh bien, grosso modo, on pourrait traduire ainsi : « Debout, lève-toi et bats-toi pour tes droits, n'abandonne jamais le combat... »

— Et le poème hongrois ? Du haut de ses dix ans, Lucie n'avait jamais entendu parler d'autre révolution que celle qui figure dans son livre d'histoire de CM2.

Edwige coupa la radio et traduisit d'une voix soudain émue le texte de Petöfi :

— « Debout Hongrois, la mère-patrie t'appelle, le temps est venu, c'est maintenant ou jamais. Restons esclaves ou devenons libres, décidons ! »

— Mais tu as la voix qui tremble Maman, tu es triste ?

— Non ma chérie, mais je suis toujours bouleversée quand je récite ce poème ou quand retentit le Hymnusz aux Jeux olympiques. C'est incompréhensible !

— Mais nous sommes Français ! lui rétorqua incrédule sa fille.

— Oui, bien sûr, soupira sa mère. Comment pouvait-elle expliquer à sa fille ce sentiment coupable, mais irrépressible qui l'étreignait. La route était encore longue, Edwige se lança, le cœur serré :

— Tu vois, Petit Chat, toi tu es née en France, tu parles français, tu disposes de tout ce dont tu as besoin, même le superflu. Tu vis dans un pays en paix, où tu peux aller à l'école, jouer avec tes amis. Il n'en a pas toujours été ainsi. Ni en France, ni en Hongrie, ni dans tant d'autres pays, aujourd'hui encore. Mes parents ont quitté leur pays en larmes, laissant derrière eux une terre brisée, une nation terrassée sous la chape de plomb soviétique. Ils étaient persuadés qu'ils n'y retourneraient jamais. De cette déchirure de l'exil, ils m'ont transmis intact, l'amour indéfectible pour la Hongrie.

— Mais ils y sont retournés pourtant ! Lucie avait du mal à suivre.

— Oui, bien sûr, même très souvent depuis ! Tu sais, les temps avaient changé, en une trentaine d'années, le pays s'était libéré peu à peu. Nous faisions le voyage chaque année.

— Maman, c'est quoi la Hongrie pour toi ? fit Lucie en fronçant les sourcils. Elle adorait prendre cet air dubitatif devant sa mère, persuadée que celle-ci la prendrait davantage au sérieux.

Edwige jeta un regard stupéfait dans le rétroviseur :

— La Hongrie et moi ? Vaste question, ma chérie !

À la gare de péage, elles descendirent toutes deux pour marcher un peu. Edwige alluma enfin une cigarette et prit une profonde respiration. Le tabac lui donna un peu le vertige. Mais était-ce la fumée ? Lucie gambadait, gracile, non loin de là. Edwige s'assit sur un banc humide. Oui, vaste question, pensa-t-elle.

Le portable vibrait dans son sac :

— Madame Garnier ?

— Oui ?

— Bonjour, c'est Marie, l'assistante de M. Laffard, je vous attendrai à 17 heures, devant les studios, porte B.

La jeune femme prit note, consciencieusement du rendez-vous.

Madame GARNIER. Le nom résonnait et se répétait dans son esprit, comme un écho. Edwige sourit.

Aujourd'hui, elle n'avait plus besoin d'épeler son nom, GARNIER. Tout le monde sait l'écrire. Enfant, à l'école ou plus tard à la Fac ou lors de ses démarches administratives, c'était toujours pareil : comment ? Veuillez épeler votre patronyme, s'il vous plaît ! Ou encore : C'est de quelle origine ? Et elle de répondre, sempiternellement, « Je suis d'origine hongroise ».

Bien qu'elle soit née en France, Hédvig Czakó n'avait appris la langue de Molière qu'à cinq ans en entrant à l'école, et considérait le magyar comme sa langue maternelle. Forcément, elle n'avait pas cet « accent venu du froid » qui roulait les R et qui confondait les articles LE ou LA, octroyant à l'expression orale de ses parents une note franchement exotique. Petit à petit, imperceptiblement mais inexorablement, son langage mental avait pourtant basculé : Edwige raisonnait, comptait désormais en français et son hongrois avait muté, rétrogradé en deuxième langue. Ce n'est plus qu'en révélant son nom qu'il fallait qu'elle « s'explique » sur ses origines.

En revanche, en famille, le hongrois prévalait. Ses parents lui avaient transmis leur langue mais aussi leur culture, toutes les traditions ; ils lui avaient appris tant de chants, de poèmes, de danses aussi. Pendant que toute la famille écossait les petits pois du jardin ou peignait les œufs de Pâques, *Nagymama*, la grand-mère maternelle, chantait des airs de la Tisza. Elle baignait dans l'univers magyar comme n'importe quelle petite fille... de là-bas. Sa mère ne cuisinait que des mets de chez elle, et Edwige revenait de l'école toujours étonnée des plats qu'on lui servait à la cantine.

Elle avait passé toutes ses grandes vacances en Hongrie, avec la myriade de cousins et de cousines qu'elle retrouvait avec joie chaque année. Elle avait l'impression qu'il n'y avait pas une ville ou un village dans ce pays sans que l'on y connaisse une tante ou un ami pour y passer la nuit.

Elle aimait musarder à Budapest, grandiose capitale baroque enlaçant le Danube comme un amant éperdu. C'était toujours un spectacle époustouflant que de guetter le reflet du Parlement néo-gothique scintillant dans les eaux noueuses du fleuve, s'ingéniant à venir narguer insolemment l'ombre gigantesque du Château, sa rivale. La petite Edwige pensait alors que seul le vieux Pont de Chaîne pourrait un jour les rabibocher sous le regard goguenard du Bastion des Pêcheurs. Elle adorait surtout sa Grande Plaine, son « Plat-Pays » à elle, avec ses hordes de chevaux, les braves cavaliers et ces milliers d'oies pâturant au loin, offrant à la steppe torride une nappe impromptue de neige éternelle.

Elle se sentait vraiment entièrement hongroise.

Peu à peu, un sentiment étrange mais inéluctable l'avait envahi : elle était une Hongroise en France, et une Française en Hongrie ! Ce n'était pas pour se différencier des autres ou se rendre plus intéressante, non c'était vraiment réel, compliqué, mais réel. Pour l'adolescente qu'elle était devenue, ce n'était qu'une confusion supplémentaire, une donnée de plus à gérer.

Les années passant, l'école, la Fac, ses études, les copains puis son mariage avec Jean-Michel Garnier avaient fini de la « franciser » presque intégralement. Aujourd'hui, c'était une jeune femme dynamique, gaie, semblable à toutes ses amies. Férue de littérature, elle idolâtrait Baudelaire et Hugo, écoutait Mozart mais aussi du Solaar, connaissait tous les textes de Brel par cœur. Tout naturellement, elle s'était arrimée puis dissoute à une vie de Française bien ordinaire. D'ailleurs, elle ne parlait presque plus le hongrois, hormis lorsqu'elle s'entretenait avec ses parents. De « son pays », il ne restait que des souvenirs d'enfance. Des souvenirs et puis l'oubli.

Sporadiquement, sa double identité refaisait surface, tel un éclair du passé ; par exemple, elle ne pouvait s'empêcher de relever systématiquement et avec fierté, dans les génériques de film, untel technicien ou assistant décorateur, qui un Szabó, qui un Farkas. Aucun ne lui échappait. À la Fnac aussi, un auteur hongrois en tête de gondole attirait son regard immanquablement. Et puis, elle avait une espèce de rituel singulier en rentrant dans son appartement : elle touchait machinalement l'armoirie de cuivre polychrome symbolisant la Hongrie avant de poser ses clefs. Son amie Sarah se moquait toujours d'elle : ma parole, riait-elle, tu fais comme nous avec la Mézouza ! Edwige connaissait la valeur sacrée de l'écrin de bois figurant sur le linteau de la porte de son amie, et avait presque honte de son besoin inconscient mais vital de toucher le « Címer ».

L'événement le plus significatif fut le choix de leur maison de campagne. Lorsque Jean-Michel lui avait montré la ferme bressane qu'il avait repérée à Frangy, son cœur fit un bond dans sa poitrine. Le village ressemblait à s'y méprendre à celui de son enfance, Tiszapüspöki. De longues maisons aux toits bas et pentus sommeillaient enchâssées les unes contre les autres, comme écrasées sous la bise. Chacune était flanquée d'une longue galerie de tomettes rouges, courant sous la toiture, que plusieurs poutres de chêne venaient soutenir, comme pour tendre subitement un peu de verticalité. Une vigne vierge avait presque fini d'engloutir l'une d'entre-elles : c'était là. Encore plus rustique que les autres, la maison faisait face à une immense grange. Dans la cour trônait un vénérable puits à balancier, le seul qu'elle n'ait jamais vu en France. Tel un fil à plomb fané, il incarnait majestueusement le giron de cette terre singulière. Plus loin, un four à pain, caché derrière un bosquet de forsythias, bâti comme une petite maison de poupées, achevait de donner à l'ensemble une allure onirique. Toute la contrée semblait s'être pétrifiée deux siècles auparavant. Sur la Seille, des barques à fonds plats attendaient le batelier comme leurs sœurs lointaines de la Tisza.

Edwige se sentit chez elle immédiatement.

La ferme était toujours à vendre.

Lorsque, restaurée, nettoyée, et décorée « de subtiles hongroiseries » elle fut habitable, l'illusion était parfaite : Edwige avait accroché une multitude d'assiettes peintes sur le mur de sa grande cuisine, pendu des grappes de paprikas vermeils aux solives et déposé des tapis de torchons multicolores aux sols. Cela agaçait un peu son mari, mais, la voyant si heureuse, il s'en accommodait. Elle avait recréé sa petite Hongrie et s'y sentait bien. Ses parents étaient également sous le charme, leur première visite produisit le même effet : son père soulignait les similitudes des architectures et sa mère, l'émotion passée, ajouta tout en contemplant la robe dorée du Château-Chalon : « Même leur vin de paille ressemble à notre Tokaj ! »

Edwige avait trouvé là son refuge. Unique. Elle y avait enfoui profondément ses racines, et laissait somnoler sous les chênes centenaires, ses deux cultures, ses deux âmes.

**

Il se remit à pleuvoir, le périphérique était fluide, Lucie commençait à s'impatienter.

— Je peux jouer à la Switch ?

— Non, lui répondit-elle sèchement, plus irritée par le va-et-vient des essuie-glaces infatigables que par le passe-temps débile de sa fille, nous arrivons bientôt !

Au moins, moi, se dit-elle, je m'amuse à un jeu bien plus captivant. C'était justement l'objet de son escapade à Paris : elle avait été sélectionnée pour participer à une émission télévisée, une des plus anciennes de la télévision française : Des Chiffres et des Lettres.

Dans la loge de maquillage, Edwige prit son portable afin de s'assurer, s'il en était encore besoin, du soutien inconditionnel de son mari. Jean-Michel l'encourageait vaillamment depuis Dijon.

— Bisous, bisous mon amour, je suis avec toi. Tu es la meilleure ! Je t'aime.

Meilleure, sûrement pas, s'amusa-t-elle. Cela dit, la jeune femme était assez fière d'elle. Elle avait toujours mis un point d'honneur à ne pas tacher de fautes d'orthographes ou de syntaxe ses copies. C'était comme un défi permanent, il fallait être meilleure que les autres à l'école, exceller au lycée ; être sans fautes. Son maître d'école en CM2, Monsieur Leckler, lui en avait donné la méthode infaillible : elle passait des heures à lire le dictionnaire, comme un roman, retenant l'étymologie de chaque mot, seul moyen mnémotechnique efficace pour apprendre un vocabulaire parfait. Edwige détestait l'à peu près. Et son maître lui donnait ses petits trucs à lui : « N'oublie pas décrire *déjà* comme on construit un toit sur une maison : avec deux accents, sur le é et le à avec un point au milieu ! » Elle s'en souvenait encore ! Pareil pour le calcul mental, il avait toujours une astuce à transmettre à ses élèves. Cher Monsieur Leckler, je vous dois tant ! pensait-elle si souvent.

— C'est votre tour ! Laurent Romano était d'humeur très mutine ce soir-là : Edwige, êtes-vous dans la lune en 4 lettres ce soir ?

Elle sortit immédiatement de sa torpeur, il lui fallait absolument gagner cette dernière manche pour consolider sa maigre avance. D'une voix presque trop féminine à son goût, elle minauda :

— Voyelle.

— A, fit la voix-off.

Son concurrent, un homme à la barbe grisonnante et l'air imbu de lui-même, tonitrua :

— Consonne ! Le Z tomba pompeusement.

Chacun à tour de rôle égrainait comme un rosaire, les mots CONSONNE ou VOYELLE :

Edwige risqua le tout pour le tout, le Z la dérangeait terriblement, il lui manquait une « bonne consonne ».

— Consonne ! Sa voix séquestrait toute sa rage de vaincre.

Un T quasi métallique vint clore le tirage.

La voix off rappela les lettres dans leur ordre d'arrivée :

— A-D-Z-A-S-R-O-C-T -

Une musique neutre, semblable à celle qu'on entend dans les ascenseurs des grands magasins, s'amorça aussitôt. Edwige assemblait les lettres méthodiquement, selon sa technique à présent bien éprouvée ; Carats, Crados, Tzar...

Soudain, elle vit le mot ! Impensable, se dit-elle ; incroyable ! Un sourire vainqueur mais très éphémère effleura ses yeux. Le jingle final lui rendit un visage impassible.

— Monsieur Duval ? interrogea le présentateur.

— 6 lettres, répondit-il, franchement dépité.

— Madame Garnier ?

— 7 lettres !

— Nous vous écoutons.

— CZARDAS... Edwige se raidit et retint péniblement son souffle.

— Il n'y avait effectivement pas grand-chose dans ce tirage, dit Bernard Goupil en se précipitant sur son dictionnaire... C'est juste, le ROBERT admet deux orthographes à ce mot d'origine hongroise, c'est une danse. Czardas ou Csardas, dit-il en écorchant le mot. Notre regretté Maître Capelli n'aurait pas fait mieux !

— Chez nous, dit-elle d'une voix qui résonnait de toute l'immensité de la Puszta, on dit : *Csárdás* !

Une vague gigantesque, une lame de fond vint la submerger. Ne pouvant ni cacher ses larmes, ni émettre un seul son, elle attendit chancelante le générique de fin, hasardant à se donner une contenance qu'elle ne gérait plus. Tous pensaient qu'elle était émue par sa victoire, elle seule savait.

Elle avait gagné.

Mais sa victoire était ailleurs. Même le « chez-nous » qu'elle avait proféré triomphalement ne la surprit plus. C'est sa connaissance du hongrois qui avait eu le dernier mot. Alors que le directeur de l'émission Patrice Laffard lui serrait la main pour la féliciter et pendant que tous tournoyaient autour d'elle, sablant le champagne et se congratulant, Edwige, le regard hagard, savourait épuisée, l'épilogue de sa quête identitaire.

Non, sa nostalgie magyare ne l'avait jamais freinée ni défavorisée, bien au contraire. Cette nostalgie, tant de fois refoulée, prenait sa source dans le regret mélancolique de son enfance. L'enfance révolue, accomplie à jamais.

C'était pourtant d'une évidence étourdissante.

***

Le banc

Malgré sa carrure imposante, Dávid marchait à petits pas traînants. Une douleur lancinante dans le bas du dos ne le quittait pas depuis doucement trente ans : sa fidèle compagne qui savait se rappeler à son bon souvenir par des élancements cruels, le tourmentait aujourd'hui plus qu'à l'accoutumée. Il approchait d'un banc public, celui-là même qui depuis une dizaine d'années l'accueillait dans sa promenade quotidienne dans le bois de la ville. Il aimait s'y rendre longeant la somptueuse avenue Andrássy où les hôtels particuliers semblaient faire compétition pour la palme du plus bel édifice de Budapest. Le banc, son banc l'attendait et écoutait avec une quasi-tendresse les réflexions du vieil homme. Il s'y laissa tomber lentement, sur le côté, comme un vieux chêne qu'on déracine. Il souffla à grand bruit comme essoufflé de sa lente course.

Inexorablement, chaque jour, chaque promenade, chaque pas le rapprochait de la fin et il en était presque heureux, soulagé : la vie n'avait plus aucune importance. Il avait tout vu, tout vécu : il avait survécu à tout, à tous : à ses collègues, à ses amis, à Márta sa femme.

Sur le banc vis-à-vis de lui, un jeune couple s'embrassait langoureusement. Il fut un instant mal à l'aise mais, presque aussitôt, de tendres souvenirs, des images de moments torrides vécus avec sa femme lui revenaient en mémoire. Comme il l'avait aimée ! et, a posteriori, il s'en voulait de tout ce temps perdu, gâché sans elle. Toutes ces années où Márta le dévisageait, les yeux en point d'interrogation, l'air de dire : « alors, tu vas te décider enfin ? »

Dávid était une tête de mule. Il n'était pas à vrai dire un bel homme, quasiment chauve, des yeux bleus très clairs, bridés par des rides souriants, une belle bouche charnue à souhait, très sensuelle, une barbe blanche finement taillée, courte qui lui donnait un air de vieux philosophe ou était-ce le journal littéraire de la semaine, plié en trois qui dépassait immanquablement de la poche de son parka ? Dávid était journaliste au journal littéraire le « Et ». Avant-guerre, cet hebdomadaire s'appelait « Vie et Littérature » mais comme toute vie et toute littérature avait disparu de la capitale hongroise, les Budapestois ne lui laissèrent que le sobriquet « et ». Dávid était l'intellectuel type, cultivé, raffiné qui pouvait tout se permettre, car adulé (ou détesté) de tous. C'était l'homme libre par excellence qui se moquait bien du qu'en-dira-t-on. Il détestait l'à peu près. Toujours impeccablement habillé. Il se vantait de savoir repasser lui-même ses chemises. Dans la profession, il était craint et respecté et ses articles justes, éclairés, parfois caustiques, ne lui avaient pas valu que des amis. Il lui arrivait néanmoins de repenser avec amertume à toutes ses petites lâchetés, toutes ses petites trahisons dont il s'enorgueillissait jadis : il était libre et entendait bien le rester ! C'était le leitmotiv de sa vie, ne pas s'attacher, vivre au jour le jour, qui vivra verra, carpe diem.

Des maîtresses pour nourrir des désirs inassouvis, des amies et des amis pour consommer le quotidien, sa vie n'était que course en avant pour fuir ce qui le retenait derrière. Ses journées passées à errer dans la capitale hongroise, de galeries de photos en soirées au club de jazz, de conférences de presse en vernissage du sculpteur le plus en vogue ; il se donnait l'impression de vivre et se raccrochait à la certitude que c'était là la vraie vie, insouciante, agréable, libre. Il avait une réelle aversion pour les sentiments exprimés, la vie de famille casanière, et vivre ainsi lui était aussi étranger qu'impensable. Dávid avait pourtant eu la sensation d'avoir été heureux ainsi, sa liberté avait compté plus que tout.

Rien que l'idée d'avoir sa propre brosse à dents chez une femme lui était insupportable (il avait d'ailleurs toujours dans sa poche, une brosse à dents de voyage dans un étui.) Il était l'éternel voyageur, une valise remplie toujours prête à être empoignée était ses seules affaires dans les appartements successifs où il avait vécu : ni meubles, ni bibelots, ni photos : Dávid ne s'encombrait de rien de ce qui aurait pu lui donner le statut d'homme installé. À l'instar du Juif errant, il ne pouvait rester en place, le sol se dérobait sous ses pieds ; il lui fallait marcher, marcher sans cesse, marcher pour se sentir vivre. Dormir lui paraissait tout aussi inutile et il ne se livrait aux bras de Morphée qu'à contrecœur et le strict nécessaire. Avec Márta, il s'était comporté de manière tout aussi égoïste et tyrannique. Toutes ses fuites qu'il trouvait alors légitimes, ses longs départs pour mettre des kilomètres entre elle et lui, le torturaient à présent : quel gâchis !

Le couple sur le banc en face de lui, riait bruyamment, tantôt parlait bas et parfois des éclats de voix sortaient Dávid de ses pensées. Néanmoins, il repensait avec émoi au premier rendez-vous avec sa femme : le sourire presque enfantin de Márta lui avait fait chavirer le cœur, ses yeux espiègles avaient en un clin d'œil emporté son âme. Sa joie de vivre était communicative et tout devenait facile et beau avec elle : tout ce qu'elle touchait semblait reprendre vie et rien ne le rendait plus heureux que lorsque Márta, les yeux mi-clos, venait se lover contre lui, le corps consumé par l'ardeur des sens. Il l'aimait, mais n'en avait rien laissé paraître durant plusieurs mois. À quoi bon ? Tous les prétextes pour renoncer à cet amour naissant lui paraissaient plus viables que l'amour lui-même. Persuadé que l'acte amoureux mettrait un terme à ce lien ténu qui s'était tissé entre eux doucement mais opiniâtrement au fil de leurs sorties et de leurs bavardages, comme le paroxysme d'une non-relation, Dávid avait fini par programmer une nuit d'amour avec elle, se disant qu'un fruit désiré ne l'est plus une fois consommé. Márta s'était laissée aimer, surprise et ravie de voir ses efforts récompensés enfin, alors que tout dans l'attitude de Dávid présageait plutôt une amitié complice et dépourvue de sentiments amoureux.

— Je te quitterai bientôt, lui avait-il dit à peine quelques semaines après le début de leur aventure, c'est comme ça, tu verras, tu m'en remercieras plus tard.

Il se souvenait maintenant précisément du regard paniqué et si triste de Márta au son de cette sentence tant redoutée : elle n'avait formulé aucun reproche, aucune remarque et s'en était allée résignée et le cœur lourd.

Leur relation avait pourtant duré, et ce, de très longues années ! Márta s'était résignée à son sort et accueillait toujours son ami-amant de bonne grâce : elle se sentait comme en sursis, et chaque jour passé avec Dávid était vécu intensément, comme une remise de peine arrachée au juge au coup par coup. Dávid la voyait heureuse chaque fois qu'elle lui ouvrait la porte et qu'elle venait se blottir dans ses bras : il restait là, étonné de tant d'amour, sans voix, ses bras écartés n'osant à peine la toucher. Márta les lui saisissait et venait les coller sur elle dans un grand moment de tendresse contre lequel Dávid était impuissant.

À chaque fois qu'il la quittait, il se disait que cette fois, c'est pour de bon et chaque fois qu'il la revoyait, il se résignait à laisser parler son cœur et laissait son corps l'étreindre. Il ne savait comment lui dire « non » autrement qu'avec des mots qui restaient vains et inopérants dans le cœur de Márta. Au nom de sa liberté chérie, Dávid s'était imposé et par la force des choses à sa compagne également, cette longue vie de dualité : ni avec elle, ni sans elle.

La nuit était tombée subrepticement et Dávid remarqua que les jeunes du banc d'en face s'étaient éclipsés sans bruit. Il voulut se lever mais ses jambes ne lui répondaient pas. Combien de temps avait-il passé sur ce banc ? une heure ? ou deux tout au plus. La batterie de son portable s'était déchargée et pas âme qui vive dans le parc plongé dans les ténèbres. Même la grande Roue du Parc d'attractions jouxtant le bois de la ville était noire et sinistre. Quelques années auparavant, les lampadaires proféraient aux allées du parc une atmosphère romantique, mais depuis la lutte contre le réchauffement climatique, l'éclairage des voies publiques était restreint au minimum. Même le majestueux parlement, qui se reflétait en milliers d'étoiles scintillantes dans le Danube, redevenait une masse sombre au bord du fleuve sur les coups de 22 heures.

Dávid fit une seconde tentative pour se lever et ressentit une douleur intense dans son thorax et le bras gauche.

Il ne redoutait pas la mort pourtant, mais à cet instant précis une terrible angoisse le saisit : et si c'était pour ce soir ?

On ne connaît pas de l'heure de sa mort et pour cette raison, Dávid avait choisi de décider de la sienne : un jour, je me suiciderai, avait-il dit à Márta, non pas par désespoir : mais par fierté : choisir le temps et le lieu : histoire qu'elle n'ait pas le dernier mot !

Il était là pourtant, seul dans le parc, sur son banc, dans la pénombre d'un soir sans lune : il respirait difficilement ; il enrageait d'avoir à subir les assauts de la mort et d'être là sans défense… non, pas ici et pas ce soir, non pas… ici… et…

— Monsieur, Monsieur ! Vous allez bien ? une voix inconnue… un visage tout aussi inconnu était penché sur lui : ses esprits lui revenaient tout doucement :

— Ah oui, le parc, le banc, je me suis évanoui. Quelle heure est-il ?

L'homme en blouse blanche tenait son pouls et écoutait les battements de son cœur avec son stéthoscope. Il lui posait une foule de questions : Dávid tentait de saisir des bribes de paroles et finit même par entendre la sirène de l'ambulance, il faisait presque jour.

— Une jeune fille qui faisait son footing ce matin vous a trouvé sur ce banc : vous avez de la chance, vous avez probablement fait un infarctus : on va vous emmener aux urgences, ne dites rien, tout ira bien.

L'ambulancier essaya de trouver dans les papiers de Dávid, sa carte médicale contenait les informations sur ces antécédents médicaux et les personnes à joindre en cas de problème.

— Vous habitez bien dans le VIe arrondissement, Szív utca 8 ? Vous n'avez pas de famille ? Vous êtes célibataire, jamais marié ? Vous avez vraiment 77 ans ? demandait le médecin en consultant l'ordinateur.

— Si, ma femme s'appelle Márta, elle… Elle est décédée depuis 10 ans… s'efforçait de répondre Dávid en manquant de souffle.

— Votre dossier indique que vous n'êtes, ni marié, ne l'avez jamais été, donc vous ne pouvez être veuf… auriez-vous quelqu'un d'autre à prévenir ? demanda le médecin d'une voix neutre.

— Vous vous trompez lourdement docteur, je suis veuf et…

L'ambulancier répondait à un appel de téléphone et ne prêtait plus attention aux dires du vieil homme qu'il jugeait complètement sénile.

Quinze jours après sa sortie de l'hôpital, Dávid se rendit à nouveau au bois de la ville. « Son banc » était occupé par une vieille dame qui jetait du vieux pain aux pigeons. Comme si le banc fut inoccupé, Dávid s'installa et en prit possession au prix de durs efforts pour s'asseoir. La vieille dame se leva pour laisser sa place à ce malappris et s'éloigna en trottinant tout en grommelant quelque chose d'incompréhensible. Il s'était habillé de son plus beau pantalon en lin et de la chemise préférée de Márta : elle lui était un peu étriquée maintenant mais il y tenait particulièrement. Il sortit de sa poche une vieille photo jaunie de Márta. Celle qu'il aimait le plus : Elle était coiffée d'une toque en fourrure et souriait, le nez dans le col en renard gris assorti. Il contempla longtemps la photo, une larme de bonheur roulait sur sa joue. Il tenait dans l'autre main une petite fiole de cyanure achetée à prix d'or dans les années soixante-dix au marché noir.

L'idée de mourir sur ce banc ne lui déplaisait pas, il ne faisait ni beau ni froid. Il avait apporté son éternelle petite valise comme pour accomplir un dernier rituel de départ.

Il contemplait toujours la photo, et en s'éclaircissant la voix, il dit d'un ton solennel :

— Márta, ma chérie, pardonne-moi de ne pas l'avoir fait plus tôt, Márta, mon amour de toujours, veux-tu m'épouser ?

Un long soupir d'aise lui fit soulever son torse et le sentiment d'avoir enfin accompli son bonheur au même titre que son devoir.

Il but goulûment le contenu de la fiole et s'écroula, serein et heureux sur le banc.

***

Escapade milanaise

À 9 h 35, Florent Mandeville prit le train en gare de Padoue à destination de Milan.

La cinquantaine passée, d'une taille élancée, vêtu d'un costume gris clair avec pour tout bagage un petit sac de voyage en bandoulière, il donnait l'apparence d'un homme tranquille, instruit, posé, sûr de lui. Il prit place dans un compartiment encore vide, de ces compartiments qui ont conservé le charme désuet des trains italiens. À peine s'était-il installé sur la banquette de molesquine qu'une jeune femme d'environ quarante ans, en tailleur beige et corsage noir, les cheveux tirés en chignon derrière la tête, vint s'asseoir en face de lui. Ils se saluèrent courtoisement d'un mouvement de tête, puis le train s'ébranla doucement.

Tandis que sa charmante voisine avait tiré de son sac à main un petit miroir pour refaire son maquillage, Florent parcourait distraitement un quotidien français tout en jetant quelques regards furtifs vers la jolie voyageuse. Le train filait maintenant à vive allure en traversant les plaines du Pô.

Un silence un peu gêné s'installa entre eux. Pour se donner contenance, ils regardaient de temps en temps le paysage qui défilait derrière la vitre, et faisaient mine de farfouiller dans leur sac. Le rapide traversa une petite bourgade sans marquer d'arrêt puis s'engouffra sous un tunnel. Ce fut à cet instant précis que les deux voyageurs sortirent au même moment un livre de leur bagage. Lorsque le train réapparut à l'air libre, tous deux tenaient à la main un roman à la couverture cartonnée jaune paille : « Hier et demain » de Georg Vasary. Sur le moment, aucun des deux, plongé dans sa lecture, ne se rendit compte de la coïncidence. Ce fut quand ils relevèrent la tête et se regardèrent mutuellement qu'ils sursautèrent légèrement en esquissant un sourire.

— Nous lisons le même livre, remarqua-t-il en souriant.

— En effet, c'est amusant, répondit-elle surprise. C'est la première fois que je lis cet auteur, et j'avoue que son style me plaît beaucoup.

— Moi aussi, et d'ailleurs je ne connais pas ses autres ouvrages, bien que ma mère m'ait souvent incité à le lire... C'est un auteur hongrois, né à Budapest comme elle, qui a « internationalisé » son nom : Georg Vasary est en réalité György Vásári ! Elle prétend que la version originale hongroise est bien meilleure... Ce serait vraiment drôle, si nous en étions à la même page, renchérit-il.

— Effectivement, ce serait très surprenant... Je viens de commencer la page 72, et vous ?

— Page 72 ? Mais... mais, j'en suis précisément là aussi ! s'exclama-t-il de plus en plus abasourdi. Puis il tendit son livre ouvert vers elle comme pour prouver ses dires.

— Tenez, regardez !

— Ça alors ! C'est bien la première fois qu'il m'arrive une chose pareille, répondit la jeune femme en éclatant de rire, puis elle ajouta :

— Ne me dites pas que vous en êtes à la même phrase que moi, je ne vous croirais pas, et ce serait vraiment troublant.

— Nous allons vérifier, dit-il un peu fébrile, j'étais en train de lire ce passage où la gouvernante dit en parlant du vieil homme :

« Monsieur n'a pas dîné non plus hier soir ! »

— Ah non ! je n'en suis pas encore là, soupira-t-elle, ça aurait été vraiment invraisemblable ! Quelle coïncidence tout de même !

Un peu plus à l'aise maintenant que le silence était rompu, la jeune femme osa l'initiative des présentations. Elle lui adressa un sourire tout en lui tendant la main :

— Permettez-moi de me présenter : je m'appelle Chantal Reno. Florent se souleva légèrement en inclinant la tête :

— Florent Mandeville. Enchanté.

Le train ralentissait un peu présageant l'arrivée dans une gare.

On arrive à Vérone, je suppose. Ah, la cité des amants éternels ! dit Florent d'un ton suave avec un soupir amusé.

Chantal baissa les yeux sur son livre pour ne pas avoir à répondre à cette allusion qu'elle jugeait quelque peu cavalière venant d'un homme avec qui elle n'avait échangé que trois mots. Il se rendit compte instantanément de sa gêne quand, à son grand soulagement, le contrôleur poussa la porte coulissante du compartiment.

— Bonjour Messieurs-Dames ! Billets, s'il vous plaît !

Florent plongea sa main dans sa veste pour en sortir son portefeuille duquel dépassait le billet. Il le tendit au contrôleur qui le tamponna et griffonna quelque chose dessus. Chantal fouillait son sac avec un léger agacement car elle ne trouvait pas immédiatement le sien.

— Qu'est-ce que j'en ai fait ? dit-elle confuse à l'employé de la Ferrovie dello Stato. Celui-ci poussa sa casquette en arrière avec un sourire entendu à l'adresse de Florent, d'un air de dire : « Pfff, les femmes et leur sac à main... »

Fort heureusement, il ne releva pas la remarque à la grande satisfaction de la jeune femme. Elle avait en horreur les préjugés machistes de certains hommes. Elle finit par trouver son billet dans une pochette externe. À ce moment-là, le train démarra. Elle voulut le tendre fièrement au fonctionnaire, mais en le sortant précipitamment, un autre papier tomba au pied de Florent. Il se baissa pour le ramasser et ne put cacher sa surprise en constatant qu'il s'agissait d'un billet pour la Scala de Milan et que c'était précisément pour la représentation du soir.

— Oh ! mais vous allez voir la Traviata vous aussi ce soir ? C'est vraiment stupéfiant : je reste sans voix. Que de coïncidences ! ça alors... ce qui serait vraiment extraordinaire, c'est que nous soyons assis pas très loin ! Que je vérifie : je suis du côté gauche dans la loge qui jouxte la loge royale au premier...

La jeune femme attendit que le contrôleur ait tourné les talons avant de répondre :

— Oh je ne suis pas aussi bien placée, je suis à un balcon et c'est sur les côtés, mais ce n'est pas grave, je connais tellement cet opéra. Je voulais juste assister à cette version dont on me dit le plus grand bien.

— Écoutez, cela me ferait plaisir que vous partagiez ma loge, y voyez-vous un inconvénient ?

— C'est très gentil à vous, je ne sais comment vous remercier.

— Mais je vous en prie, tout le plaisir est pour moi.

Les deux voyageurs s'étaient rassis sur leur banquette respective, l'un bien en face de l'autre.

Le train avait repris de la vitesse, s'éloignant de Vérone. La jeune femme était maintenant beaucoup plus détendue, la gêne du début avait cédé la place à une sorte de complicité. Elle s'enhardit et osa un peu de séduction bien féminine.

— Vous permettez que je me déchausse et que j'allonge mes jambes sur votre banquette ? Ces chaussures me font mal aux pieds ! demanda-t-elle en joignant le geste à la parole.

— Mais bien sûr, faites, faites, mettez-vous à l'aise, Milan est encore loin.

La promiscuité de ces deux jolies jambes gainées de collants noirs, étendues en travers de la banquette et dont les pieds venaient frôler le genou de Florent ne manquait pas de jeter un trouble sur le visage de ce dernier. Elle le remarqua et esquissa un sourire malicieux, amusée par le léger émoi de son compagnon de voyage. Puis elle reprit immédiatement la parole pour se donner bonne contenance :

— Vous ne m'avez pas dit ce que vous faites en Italie, vous habitez Milan ?

— Non pas du tout, je vis à Paris, je suis venu participer à un symposium à Padoue. Je suis historien d'art et j'ai donné une conférence sur la conservation et la restauration des fresques de Giotto. Vous savez sans doute qu'il y a un ensemble très important de peintures murales de ce peintre à Padoue ?

— Oui en effet je les connais un peu, c'est merveilleux, vous faites un métier passionnant.

— Je me suis spécialisé dans l'art italien du trecento et du quattrocento, j'ai d'ailleurs soutenu ma thèse universitaire sur ce peintre.

— Vous écrivez aussi des ouvrages d'art, je suppose ?

— Oui quelques-uns, et surtout des articles pour des revues d'art, je participe à des colloques, ce qui m'oblige à voyager souvent.

— Belle obligation ! dit-elle en riant aux éclats.

— En effet, ce n'est pas désagréable... surtout quand c'est en charmante compagnie...

Les joues de la jeune femme s'empourprèrent légèrement et elle baissa timidement les yeux, fixant bêtement le linoléum du compartiment. Puis elle se reprit aussitôt :

— Et l'opéra ? C'est une passion aussi ?

— Tout à fait, on peut dire que c'est ma deuxième passion, particulièrement l'opéra italien puisque je le parle couramment. Quand j'ai su que la Traviata se jouait en ce moment à la Scala, je n'ai pas hésité une seconde à réserver mon billet.

Il marqua une pause, son regard erra un moment vers la fenêtre et se fixa sur le paysage qui défilait, puis de là, ses yeux se posèrent un instant sur les jambes de sa co-passagère avant de croiser à nouveau son visage. Il se racla la gorge avant d'ajouter une phrase pleine de sous-entendus :

— Comme personne ne m'attend à Paris, je rentre par le chemin des écoliers, je flâne, je profite, c'est comme ça que je vois la vie.

— Vous avez mille fois raison, je suis tout à fait d'accord avec vous, c'est d'ailleurs un peu le thème philosophique du livre que nous lisons : profiter de la journée qui passe, hier c'est fini et demain est un autre jour.

— C'est exactement ça ! J'approuve complètement les réflexions de l'auteur. Il marqua de nouveau un silence, et son regard maintenant se posa sur les pieds fins et délicats de sa passagère, puis il reprit :

— Vous ne m'avez rien dit sur vous, qu'est-ce qui vous amène en Italie ?

— Oh ce n'est pas aussi passionnant que vous, dit-elle dans un soupir presque malgré elle : Des histoires de famille, un grand-oncle du côté de mon père qui vient de décéder et j'y suis allée pour les affaires de succession.

— Je suis désolé, s'excusa-t-il, suis-je indiscret ! J'en suis confus.

— Mais non, il ne faut pas ! s'exclama-t-elle : je ne le connaissais même pas : nous sommes la seule parenté habitant en France. Toute ma famille paternelle vient de Reno, justement : c'est une famille très ancienne. Et j'ai un peu honte : je ne parle absolument pas la langue de Dante... c'est vraiment triste. Mon père était déjà né en France, donc vous voyez...

Elle plongea son regard bleu-vert dans ceux de son interlocuteur et le regarda pour la première fois de manière plus intense. Il ne détourna pas les yeux et ils se contemplèrent ainsi de longues secondes. Chantal sentait que ce faisant, elle dépassait le stade de la simple séduction entre deux étrangers. Le dialogue était installé, les thèmes communs à foison, ses jambes le frôlant de manière presque familière et ce regard soutenu étaient les prémices de quelque chose de neuf qui venait de s'immiscer entre eux. Elle en souriait intérieurement, ne laissant rien de perceptible illuminer son visage.

Ce fut Florent qui rompit le silence :

— Donc ce soir Milan et demain ? Sans indiscrétion... corrigea-t-il immédiatement en déployant un large sourire.

— Je retourne à Paris également en début de semaine prochaine : je dois rencontrer un client à Milan. Je suis avocate, continua-t-elle. Je suis spécialisée dans le droit commercial international, les joint-ventures, les filiales et les maisons-mères : vous voyez, rien de très artistique... mais passionnant quand il s'agit de ne pas remplir tous les formulaires de procédure et autres procès-verbaux.

— Ah, je comprends, fit tout simplement Florent.

Pour ne pas trop donner l'impression de la questionner, il se replongea dans « Hier et demain » non sans en avoir ostensiblement tourné bruyamment une page indiquant ainsi qu'il attaquait la 73e.

Le léger ronronnement rythmé du train était propice à la somnolence, et comme malgré elle, Chantal se laissait envahir par une langueur bien agréable. Elle songeait qu'elle aurait plaisir à écouter les arias de Violetta dans une loge aux côtés de cet homme séduisant, cultivé et très agréable. Elle aimait beaucoup l'opéra : une pause quasi irréelle, des mélodies qui vous emportent l'âme loin de ce monde pressé, stressé où le temps qui passe n'a de valeur qu'à mesure de son rendement professionnel. Elle repensait à sa lecture commune avec Florent : oui, « Carpe diem » était le maître mot dans sa vie, dans cette course contre la montre et pour l'argent ; pas de place pour les sentiments, pour les atermoiements : l'efficacité était la devise qui gérait tout son quotidien. Il était sans doute temps de changer tout cela…

— Ah propos j'y pense, dit-elle en faisant sursauter l'historien d'art, dans l'inventaire des effets laissés par mon grand-oncle, Gianni Reno, il y a un tableau dont personne ne sait vraiment de quelle époque il est et qui en est l'auteur : ça vous ennuierait d'y jeter un œil la prochaine fois que vous serez à Padoue ?

— Vous n'en avez pas une photo ? J'aurais pu déjà me faire une idée.

— Heu… mais si, suis-je bête ? Enfin, c'est sur mon téléphone portable, ce n'est pas d'une très bonne qualité mais c'est mieux que rien.

Elle sortit son mobile de son sac, tapota un peu dessus puis le tandis à Florent. Ce dernier regarda attentivement le cliché de la toile qui lui était présenté.

— Ça alors ! s'exclama-t-il, c'est proprement hallucinant !

— Quoi donc ? C'est d'un grand maître ?

— Euh, non pas spécialement, cette toile représente une vanité, elle doit dater du XVIIe siècle, probablement d'un artiste de l'école Bolognaise, peut-être Leonello Spada, mais ce qui est hallucinant c'est cette inscription en latin là au-dessus de la tête de mort : « Heri ac Cras » !

— Et… ça veut dire quoi ?

— « Hier et Demain » !

— Ô mon Dieu ! Ce n'est pas possible ! J'ai l'impression de ne plus être dans la réalité. Tout ça me fait peur, j'en ai des frissons dans le dos. C'est le titre de *notre* livre !

— C'est plus que troublant ! Je vous avoue que moi aussi je ne sais plus quoi penser.

— Toutes ces coïncidences qui s'accumulent, ce n'est pas normal.

— Et là, sur ce livre que l'on voit à côté du sablier il y a cette inscription : « Memento Mori »

— Qui veut dire ?

— « Souviens-toi que tu vas mourir ! »

— Ah ben, c'est gai !

— Vous savez c'est le principe des Vanités, ce sont des toiles qui nous rappellent la fragilité et la brièveté de la vie et qui nous ramènent à notre condition humaine de simples mortels. D'ailleurs, c'est pour ça qu'il y a ces représentations de crâne, de sablier, de bougie qui se consume, de fleurs qui se fanent, etc.

— Et pour revenir à des choses plus mercantiles… il possède une certaine valeur ?

— C'est difficile à dire, pour ça il faudrait l'examiner en vrai, une certaine valeur oui, mais toute relative, c'est peut-être une toile anonyme comme il y en a tant à cette époque, et puis tout dépend aussi de son état de conservation. Je dirai quelques milliers d'euros, parce qu'elle est du XVIIᵉ siècle et que la qualité de l'exécution me paraît excellente, ce n'est pas une œuvre d'un peintre médiocre, mais probablement pas non plus d'un grand maître, hélas.

— Et quand je pense que ce soir nous allons voir la Traviata ! Encore un signe ! Maintenant, j'ai vraiment peur, je n'aime pas ça du tout ! Trop de morbidité en même temps.

— Ça va Chantal ? lui dit-il inquiet sans remarquer qu'il s'adressait à elle en l'appelant de son prénom. Vous ne vous sentez pas bien ? Vous êtes très pâle tout à coup !

— Ce n'est rien… ce n'est rien, ça va passer. Je suis trop sensible, alors vous comprenez, toutes ces choses qui me ramènent à la mort d'un seul coup ! Je vous rappelle que je suis venue en Italie suite au décès d'un grand-oncle…

— Mon Dieu c'est vrai ! Je vous prie de m'excuser, tout cela est de ma faute, je n'aurais jamais dû vous parler des inscriptions du tableau, on veut toujours faire étalage de son savoir, c'est ridicule.

— Mais non Florent, lui dit-elle aussi en l'apostrophant par son prénom, pour lui faire comprendre qu'elle avait relevé ce rapprochement délicat, vous n'y êtes pour rien, bien au contraire, je suis ravie que vous m'ayez donné si gentiment toutes ces explications. Ce soir, nous n'y penserons déjà plus, emportés par les airs de Violetta, d'Alfredo et de Germont.

Florent ne répondit pas, il jeta un coup d'œil rapide à sa montre, puis il se leva en demandant à sa co-passagère :

— Je vais au wagon-bar chercher quelques boissons fraîches, je peux vous offrir quelque chose ?

— C'est gentil à vous… je veux bien un Perrier bien glacé.

Il poussa la porte de la cabine et disparut dans le couloir. Quelque quinze minutes plus tard, il revint avec deux bouteilles et des gobelets en plastique.

— Voilà je vous ai ramené un… dit-il en entrant, mais il n'acheva pas sa phrase, le compartiment était vide.

Florent ne s'inquiéta pas outre mesure, du moins les dix premières minutes. Elle a dû aller aux toilettes, ou se refaire une beauté, pensait-il, le sourire au coin des lèvres. Mais l'attente fit bientôt place à l'impatience, puis une vague inquiétude le saisit : que peut-elle bien faire si longtemps ? Il jeta un œil aux bagages sur l'étagère suspendue au-dessus de la banquette et constata avec surprise que seuls les siens s'y trouvaient encore… Le train arriverait en gare de Bergame dans peu de temps…

Il réalisa enfin qu'elle prenait la fuite, laissant derrière elle toutes ces troublantes et funestes coïncidences. Le train d'ailleurs commençait à ralentir… vers quel côté la chercher ? Bien sûr, il ne l'avait pas croisée en revenant du wagon restaurant donc forcément elle descendrait d'un wagon à l'arrière et serait forcée de passer à la hauteur du sien pour rejoindre la gare. Il baissa la fenêtre pour guetter son passage. Le train était à présent immobilisé et les premiers voyageurs tirant leurs valises, commençaient à affluer sur le quai de la gare. Florent se décida tout d'un coup à descendre lui aussi, jugeant une discussion par la fenêtre non seulement mal aisée mais surtout peu élégante. Il scrutait le flot de passagers, sans succès.

Il vit enfin le tailleur beige se mouvoir dans la foule. Elle se trouvait à quelques pas de l'entrée de la salle des pas perdus et Florent, faisant fi de ses affaires restées dans le train, se lança à travers la cohue humaine pour tenter de la rattraper.

Elle avait disparu. Des coups de sifflet retentirent pour annoncer le proche départ du train. La mort dans l'âme, Florent rejoignit son compartiment. Un couple avec deux enfants bruyants s'y s'étaient installés entre-temps. Florent fit une moue désagréable pour tout salut, ce qui ne lui ressemblait guère, lui le gentleman toujours courtois et prévenant finit par grommeler quelque chose d'incompréhensible en guise de bonjour à l'homme assis en face de lui qui venait de le saluer en italien. Mais Florent n'avait nulle envie de discuter. Le train se mit en marche et l'historien d'art, dépité, posa machinalement sa main sur le roman de Georg Vasary. Il s'en saisit, le feuilleta pour reprendre le cours de sa lecture et remarqua de suite que ce n'était pas son exemplaire.

Quelques mots étaient griffonnés à la hâte sur la page de garde de l'ouvrage :

« Pardonnez-moi, je suis bouleversée. Chantal ».

Son billet pour l'opéra s'y trouvait aussi en guise de marque-page. Le regard triste, Florent regardait défiler le paysage. Il restait un peu plus d'une demi-heure pour arriver à Milan.

Il lui faudrait supporter ces enfants turbulents et la jacasserie incessante de la femme italienne. Il repensa avec émoi et regrets à Chantal, lorsqu'elle avait malicieusement allongé ses jambes sur la banquette. Il s'en voulait de sa stupide manie de vouloir toujours tout expliquer dès que l'on parlait d'art et en fin de compte, son couplet sur les vanités avait fait fuir sa charmante partenaire de voyage.

Quel idiot ! se disait-il. Mais d'un autre côté, il était lui aussi bouleversé par tant d'événements insolites. Tout avait si bien commencé pourtant. Que de hasards heureux pour une si belle rencontre ! Une seule chose l'importait à présent : comment faire pour la revoir ?

Dans l'espoir de trouver quelque élément pour la retrouver, il feuilleta page par page le roman : sa quête ne fut pas vaine : un numéro de téléphone (avec l'indicatif de Milan, soupira-t-il de soulagement) était inscrit sur la dernière page : le nom mentionné à côté ne laissait aucun doute quant à sa parenté avec Chantal :

Florent composa immédiatement le numéro sans songer une seule seconde à ce qu'il allait dire :

— *Pronto* ! dit une voix féminine au bout du fil.

— *Buon giorno, mi chiamo Fiorentino, sono un amico francese di Chanal Reno. Per piacere, è possibile di parlare con lei ?* dit Florent de son plus bel accent italien.

Son interlocutrice au téléphone lui expliqua qu'elle ne serait là que dans la soirée et qu'elle le priait de rappeler plus tard.

Il obtint d'elle son adresse prétextant un oubli de Chantal dans le train et qu'il se ferait un devoir de le lui ramener.

Rien n'était perdu. Florent était tout émoustillé de la revoir et de lui rendre son précieux bien et pensait qu'il avait encore largement le temps de se préparer et de l'emmener à la Scala le soir même. D'ailleurs, le train ralentissait déjà, en vue de la gare de Milan.

Florent se tassa dans un coin de la banquette et ferma un instant les yeux. Mille questions se bousculaient dans sa tête. Déjà, le piaillement des enfants s'estompa et ne lui parvenait bientôt plus qu'un léger brouhaha. Dans quelques minutes, le train entrerait en gare de Milan, et il lui fallait tenter de démêler au plus vite les mailles de cet imbroglio. Pourquoi était-elle partie précipitamment sans laisser d'explication ? Avait-elle reçu un coup de fil pendant son absence au wagon-restaurant, une urgence à régler ? Il se souvenait qu'elle devait voir un client avant ce soir, mais alors pourquoi descendre à Bergame ? Au fond, se dit-il, peut-être son client l'a appelée pour lui dire qu'il était dans cette ville et elle aura sauté sur l'occasion pour s'y rendre plus rapidement. Oui… peut-être ce n'était que cela.

Le train faisait maintenant quelques soubresauts et déjà les freins crissaient à l'approche du terminus. Florent rouvrit un instant les yeux puis se replongea dans ses pensées. Mais alors, se demanda-t-il, pourquoi m'a-t-elle laissé son livre avec le billet de la Scala ? À propos... et le mien de bouquin, que j'avais laissé sur mon sac de voyage où est-il ? Il rouvrit les yeux et le chercha du regard, il avait bel et bien disparu. Elle avait donc interverti les deux livres, par inadvertance ? Non puisqu'il y avait ce mot qui visiblement m'était destiné : « Pardonnez-moi, je suis bouleversée. » Quant au coupon pour la Traviata, c'était peut-être un oubli, il lui avait servi de marque-page et elle n'aura pas pensé à le reprendre. Il laissa échapper un soupir, la tête en arrière et les yeux au plafond en se disant au fond de lui-même : que cette femme est mystérieuse, et il se sentait irrésistiblement attiré vers elle. Il savait qu'il était fasciné comme jamais il ne l'avait été auparavant, bien plus, il était comme envoûté. Et puis il y avait entre eux toute une série de coïncidences plus que troublantes à commencer par ce livre qui avait tout déclenché. Que voulait-elle dire par : « ... je suis bouleversée ? » Cette succession de hasards aussi étranges les uns que les autres ou bien les allusions mortifères figurant sur son tableau ? Ou bien encore autre hypothèse : étions-nous victimes d'un coup de foudre réciproque ? Pour ma part, cela ne faisait pas l'ombre d'un doute, mais pour elle, était-ce le cas ? Florent ne put s'empêcher d'esquisser en sourire en hochant la tête : ça c'est bien moi... qu'est-ce que je vais encore m'imaginer... un coup de foudre ! Voilà que je me mets à raisonner comme un gosse de quinze ans. Mais bien sûr... à l'heure qu'il est, elle est folle amoureuse de moi, tellement bouleversée et émue de m'avoir rencontré qu'elle a préféré prendre la fuite ! Suis-je assez bête par moment !

La dernière secousse du train qui venait de s'immobiliser le long du quai, sortit Florent de ses réflexions tragi-comiques. Il regarda sa montre, il était 12 h 37, il attrapa sa sacoche et sortit du compartiment.

Il n'empêche qu'en arpentant le quai sous la grande verrière voûtée de la gare de Milan, il ne pouvait s'empêcher de penser à cette femme.

96

Il avait l'impression qu'il marchait comme un automate comme si chacun de ses gestes était mû par un ressort. L'image de cette mystérieuse voyageuse ne le quittait pas, cela devenait une obsession, il croyait maintenant l'apercevoir partout, une silhouette qui se faufile dans la foule, la dernière image d'elle qu'il avait gardé en mémoire.

Il monta dans un taxi et fila vers son hôtel. Il avait réservé une chambre en plein centre-ville, tout près du Duomo, pas très loin de la Scala, Hotel Pavone, 2 via Dandolo.

Je prends une douche, je mange un morceau dans une trattoria et je file à l'adresse de Chiara Reno, 25 via Giacomo Leopardi, je veux en avoir le cœur net, se dit-il.

Pendant que le taxi avançait tant bien que mal dans les embouteillages, Florent se replongea dans ses pensées :

— Cette Italienne, Chiara, doit être une proche parente, une cousine ou une tante du côté de son père, en tout cas, en apprenant que j'étais français, elle m'a répondu dans un français impeccable avec un fort accent mais avec un vocabulaire irréprochable. Sans doute, Chantal loge chez elle quand elle est de passage à Milan. Elle m'a dit si je me souviens bien, qu'elle serait de retour ce soir. Mais ce soir, à 19 h, elle doit être à la Scala.

Et c'est moi qui ai son billet. Donc, je vais chez cette Chiara en fin d'après-midi en espérant que j'y verrai Chantal, et je laisse le livre… Non, si je ne la vois pas, je garde le livre et je l'attends devant l'opéra… oui, mais si elle n'a pas le billet elle ne viendra pas… flûte… qu'est-ce que je fais ? Bon… je laisse le livre et je dis à Chiara que j'attends Chantal devant la Scala. Voilà ! c'est ça, je vais faire comme ça. Je laisserai mon numéro de portable, tiens, d'ailleurs je vais tout de suite l'écrire sur le dos du billet pour la Traviata.

Florent farfouilla dans sa sacoche et en sortit le livre puis le coupon d'opéra, de sa poche. Il prit son stylo et retourna le billet de réservation et là en tout petit, dans une écriture fine et ronde à la fois il écrivit : « Vous m'avez troublé, je ne sais pas si nous nous reverrons, ma vie est si compliquée… je vous aime. »

Ce fut d'une main hésitante que Florent appuya sur la sonnette de CH. RENO au 25 de la rue Leopardi. Machinalement, il rajusta sa cravate, le temps que Donna Chiara lui ouvre la porte.

— Buon giorno Signora, sono… il ne put finir sa phrase car ce fut Chantal qui se tenait devant lui. Le cœur battant la chamade, il lui prit la main et la porta délicatement à sa bouche pour l'effleurer à peine des lèvres.

— Bonjour Florent, ne m'en veuillez pas, je ne pouvais rester : cela devenait vraiment oppressant, je ne supportais plus. J'ai un instant imaginé le pire : le train qui déraille, une collision… sa voix avait les inflexions qu'ont les petites filles prises de panique devant l'orage. Elle se reprit et dit d'une voix quasi normale :

— Mais… veuillez, je vous prie, vous donner la peine d'entrer…

L'historien d'art était tellement sous le choc de la rencontre qu'il se tient coi un instant, ne trouvant ses mots. Il se déchaussa dans l'antichambre et vit venir vers lui tout sourire la fameuse Chiara.

— Espresso o ristretto ? arabica o robusta ?

— Ristretto arabica, grazie mille : répondit Florent en lui serrant la main, Buon giorno !

— Prego ! répondit Chiara en se dirigeant vers la cuisine pour préparer le café.

Chantal portait un jean et un T-shirt très « home » et avait une mine espiègle et enjouée.

— Je vous ai rapporté votre livre et votre billet pour ce soir. Florent fit une courte pause pour choisir judicieusement ses mots :

— Écoutez Chantal, que diriez-vous d'une petite promenade, d'un gelato à une terrasse de la piazza del Duomo et après l'opéra je vous invite au fameux Ristorante Caruso pour souper, c'est à deux pas de la Scala ? Chantal prétexta son rendez-vous d'affaires en début d'après-midi pour refuser la promenade milanaise mais accepta volontiers de le retrouver en fin d'après-midi.

— Ma soirée vous appartient ! lui dit-elle avec une tendresse non dissimulée dans les yeux : vous avez raison, oublions tous ces événements bizarres et profitons de notre soirée : Je vous retrouve à 17 h sur la place du Dôme, c'est entendu, rajouta-t-elle.

Florent but son excellent café et le cœur léger, s'en retourna à l'hôtel.

La soirée s'annonçait exquise. Il avait quelques heures à perdre et en profita pour revoir la Pietà Rondanini, dernière œuvre inachevée de Michel-Ange. Cette sculpture laissait entrevoir clairement les différentes étapes du travail du grand artiste toscan et Florent ne se lassait pas de la contempler.

Il arriva peu avant 17 heures et s'installa à une table d'une terrasse en face du magnifique édifice de la cathédrale. En digne gentleman, il avait pris l'habitude d'être ponctuel et était heureux de voir arriver Chantal, dans une robe ample à corset en mousseline jaune très aérienne. Ses épaules nues étaient voilées d'une étole en organdi d'un jaune légèrement plus sombre et Florent était complètement sous le charme de la jeune femme savamment maquillée pour le soir. Tous deux étaient ravis de s'être retrouvés et parlaient d'art, de cinéma, de musique bien entendu. La cantatrice qui teindrait le rôle de Violetta était une Coréenne toute menue, mais dont la voix puissante et ronde vous empoignait l'âme. Florent avait eu déjà l'occasion d'écouter Sumi Jo lors de l'un de ses déplacements en Australie, dans le non moins célèbre opéra de Sidney à l'architecture si particulière. Vers le début de la soirée, ils décidèrent de flâner un peu sur la via San Raffaele pour se rendre à l'opéra à cinq minutes de là.

En passant devant une galerie d'art, le regard de Florent s'arrêta net sur une reproduction d'une toile bien connue. Chantal perçut immédiatement le changement de l'expression de son visage, il était plus que troublé. Elle jeta un œil sur la toile : il s'agissait de gladiateurs défilant devant Jules César et le titre était ostensiblement inscrit sur une plaque au bas du tableau sombre :
  « Ave caesear morituri te salutant ».

Chantal avait assez de culture générale pour déchiffrer le sens de cette locution latine, mais en demanda tout de même la traduction à Florent d'une voix tremblante. Tout doucement, il prit sa compagne apeurée par les épaules, lui fit faire un demi-tour complet et lui confirma ce qu'elle redoutait :

— Cela veut dire, « Avé César, ceux qui vont mourir te saluent ! » répondit-il d'une voix caverneuse.

Chantal flageola sur ses jambes un instant et s'agrippa au bras de son ami.

— Ce n'est pas pos-siiii-ble ! ça ne peut plus être une coïncidence ! souffla la belle en détachant chaque syllabe.

— Écoute, on ne va pas se laisser influencer par de telles sottises, viens ! on arrive bientôt piazza della Scala et n'y pensons plus ! s'empressa de dire Florent sans se rendre compte qu'il l'avait tout naturellement tutoyée.

Ils s'installèrent dans leur somptueuse loge tendue de velours rouge sombre, et Florent commanda une bouteille de champagne en glissant un billet dans la main de l'ouvreuse complice. Malgré l'apparente nonchalance qu'ils se donnaient, ils étaient tous deux en proie à une vague angoisse.

Qu'allait-il encore se passer ?

Le rideau se leva enfin, découvrant de somptueux décors drapés de toiles de deuil et Alfredo se promenait tristement sur la scène son chapeau dans la main. Le couple estomaqué se regarda avec désespoir et Florent serra la main de sa partenaire.

Mais dès les premiers airs du refrain très populaire de la Traviata, leur angoisse se dissipa et l'opéra était vraiment superbement exécuté. Violetta mourut dignement et sans surprise et ressuscita tout aussi naturellement pour la salve d'applaudissements qui fusait de toute part. La cantatrice eut droit à une standing ovation relativement rare dans cet édifice, le dernier remontant à celle que reçut Maria Callas ici même, lors de sa tournée d'adieux à la scène. Le couple quelque peu soulagé se rendit à pas lent au restaurant fétiche de Caruso et ils dînèrent agréablement.

— Heureusement, la cuisine italienne ne se résume pas à la pizza et à la tomate mozzarella dit en riant Florent.

Peu après 11 heures, des éclats de voix vinrent rompre le chuchotement distingué qui était de mise dans les établissements de cette qualité. Un couple à quelques tables de là, se disputait de plus en plus bruyamment. Il était clair qu'il s'agissait d'une scène de ménage, de jalousie sans doute, car le mari donnait visiblement l'air de se disculper alors que la femme, la haine et le mépris dans les yeux, l'accusait ouvertement d'infidélité. Tous les convives se retournèrent vers eux pour leur signifier leur désapprobation de ce genre de comportement et le maître d'hôtel s'empressait également d'arriver vers eux pour les calmer et redonner toute la dignité qui sied à la salle. Tout d'un coup, la femme en larmes, se mit debout, complètement hystérique, sortit un petit pistolet de son sac et l'agitait maladroitement. Toute l'assistance était saisie d'horreur quand un coup de feu déchira l'air. Les gens hurlaient à l'aide et couraient en tous sens. La balle était passée à quelques centimètres seulement de l'oreille de Florent et alla se ficher dans la luxueuse boiserie qui éclata en mille débris sous son impact. Chantal poussa un hurlement strident et faillit s'évanouir de frayeur. Tout son corps tremblait et ses membres étaient comme pétrifiés, ne répondant plus à sa volonté de fuir. L'attention de la furie armée fut attirée par le cri de l'avocate. La désespérée brandissait toujours son arme en gesticulant tenant des propos incohérents et tenait à présent en joue Chantal qui ne pouvait plus bouger. Un deuxième coup de feu éclata et toucha le sac à main de la Parisienne qui s'écroula de peur, persuadée qu'elle vivait là ses derniers instants. Tout son voyage de Padoue à Milan était sous le signe de la mort.

C'était à présent une évidence : de l'enterrement de l'oncle Gianni aux multiples signes qui avaient jalonné toute cette journée, de coïncidences funestes lui signifiant sa fin proche aux fatals coups de feu tirés, tout cela était à présent clair : la mort ferait son œuvre ce soir. Elle s'était accroupie et cherchait du regard son compagnon d'infortune. Mais de nouveaux cris firent trembler l'assistance et un troisième coup de feu éclata.

Chantal entendit distinctement le bruit d'un corps qui s'effondre dans un râle.

Parmi les clients médusés, deux hommes finirent par ceinturer la meurtrière qui se tenait debout devant le cadavre de son mari volage qu'elle venait d'assassiner.

Florent et Chantal reprenaient leurs esprits, les hurlements des sirènes de police et de l'ambulance leur parvenaient déjà. Ils restèrent un long moment à se regarder en silence et à tenter de comprendre ce qu'ils venaient de vivre. Il était plus de minuit à présent.

Heureux de se savoir sains et saufs, Florent embrassa langoureusement la femme qu'il aimait.

— Voilà, c'est fini, dit-il, la mort nous a frôlés de près, mais ce n'était pas encore notre jour. Viens, rentrons. Et après une courte pause, il rajouta : et si nous rentrions ensemble à Paris ?

Chantal acquiesça par un sourire et machinalement sortit le roman de Vasary de son sac : le projectile avait traversé de part en part le livre et s'était fiché dans la couverture jaune arrière.

Le mot « Hier » avait disparu du titre, consumé sous l'impact de la balle, et telle une nouvelle maxime pour leur vie future, il n'y restait plus que le mot « *Demain* »

***

Les deux nouvelles « L'interview » et « Une victoire tardive » avaient fait l'objet, en 2008, d'une sélection parmi plus de 400 manuscrits pour participer au concours littéraire « La Hongrie et moi » organisé par l'association ALCYON, sous les auspices de l'Ambassade de Hongrie en France, de l'ambassade de France en Hongrie et les Instituts hongrois de Paris et français de Budapest.

Le jury regroupait des journalistes et écrivains, connaissant bien la Hongrie, tels qu'Ivan Levaï, Philippe Tesson, Eva Almássy, Thomas Szende et Pierre Karinthy.

« L'interview » reçut le deuxième prix, « Une victoire tardive » le neuvième.

Les 22 textes retenus furent publiés par Alcyon en un recueil de nouvelles. Il a été traduit en hongrois sous le titre « Az én Magyaroszágom » et publié aux éditions Nolan.

Les auteures, unies sous le nom de plume Bisame Corvin, ont pensé qu'il serait bien d'ajouter ces deux textes à ce présent recueil.

Table des matières

Imprimé en Allemagne
Achevé d'imprimer en octobre 2022
Dépôt légal : octobre 2022

Pour

Le Lys Bleu Éditions
40, rue du Louvre
75001 Paris